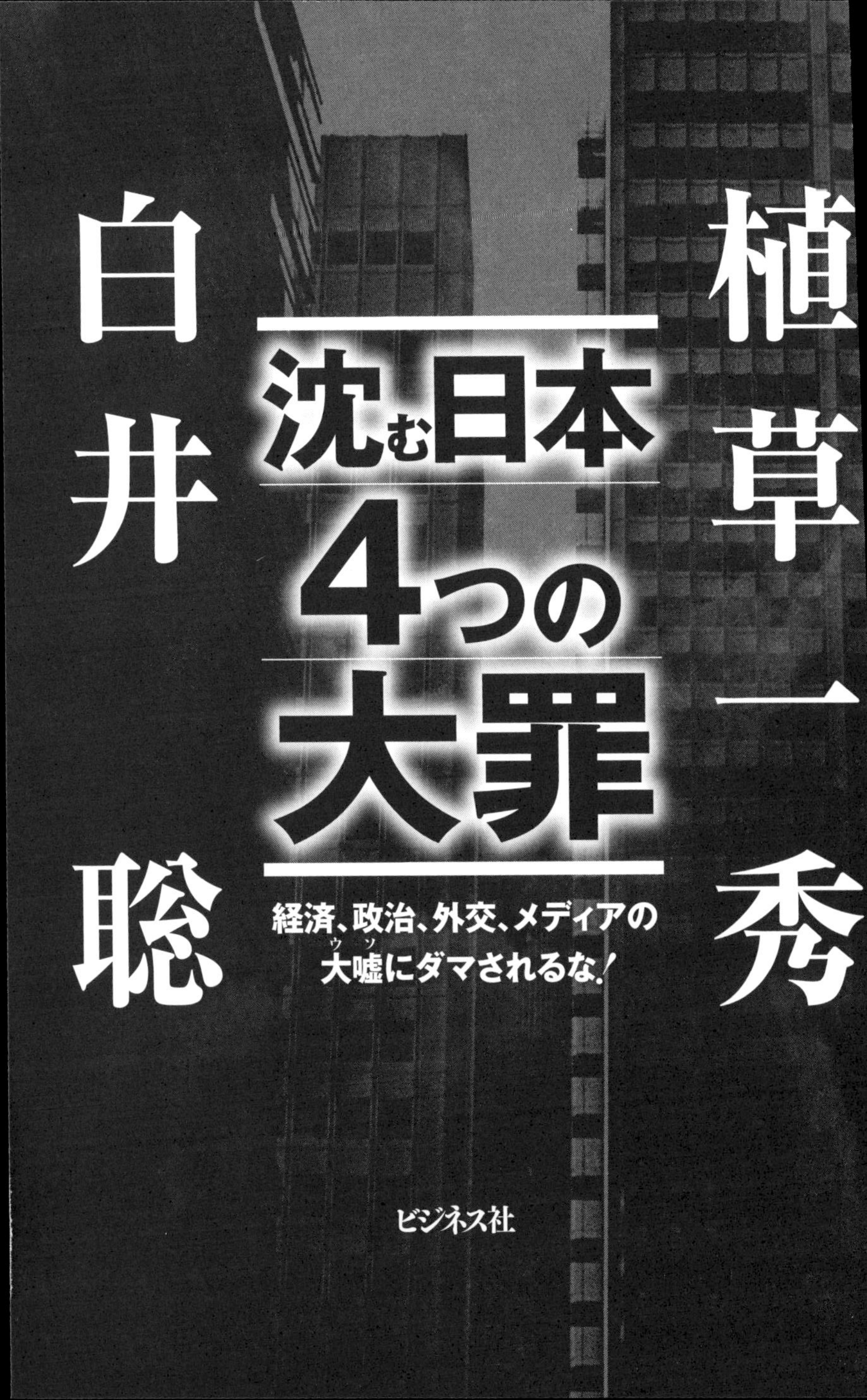

沈む日本 4つの大罪

経済、政治、外交、メディアの
大嘘《ウソ》にダマされるな！

植草一秀
白井聡

ビジネス社

まえがき

拙著『日本の総決算』（講談社、１９９９年）の帯に「失われた90年代」と表記したのが１９９９年５月。バブル経済のピークから35年間の凋落《ちょうらく》を経て日本は、名実ともに三流国に転落した。ロスジェネ世代が社会人として旅立とうとした時期以降、日本の飛躍は存在しない。汗して働いて獲得する賃金の実質価値は、１９９５年から28年間減り続けている。米国経済が３倍、中国経済が24倍の規模に拡大したこの期間に、日本経済の規模は４分の３に縮小した。

停滞《ていたい》と閉塞《へいそく》と苦難に包まれて若者の眼から輝きが消えて久しい。国民の苦難を尻目《しりめ》に政界ではモリ（森友学園問題）・カケ（加計学園問題）・さくら（桜を見る会問題）の不祥事《ふしょうじ》から、旧統一協会との深刻な癒着《ゆちゃく》、組織ぐるみの巨額裏金不正事件まで、不祥事が絶えることなく次から次へと発覚し続けてきた。かつて一億総中流と呼ばれた社会構造は面影もなくなった。一億総非正規化の流れは押しとどめようもなく、結婚、出産、子育てを選択する可能性までが除去されている。

この絶望のなかに希望の光を見出《みいだ》すことはできるのか。『永続敗戦論　戦後日本の核心』（太田出版、２０１３年）、『国体論　菊と星条旗』（集英社新書、２０１８年）で日本の実相を鮮明に描き出した白井聡《さとし》さん。現象の本質を抉《えぐ》り、解析する洞察力と分析力は当代随一と畏敬《いけい》の念を抱く白井さんと対談する貴重な機会をいただいた。敗戦という事実を対米従属《たいべいじゅうぞく》の政治体制によって「否認」してきた日本。この対米従属のくびきを解き放つことなしに日本の再生はあり得ない。しかし、考えてみれば日本の凋落を牽引《けんいん》してきた本当の主人公は一体誰なのか。

敗戦後に制定された日本国憲法が、少なくとも形式的には国民主権の制度を生み出した。憲法は、日本国民は正当に選挙された代表者を通じて行動し、主権が国民に存することを宣言して確定されたと明記している。そう、主権者は私たち国民である。その国民が日本政治を創出し、その結果として今の日本の惨状を招いている。

経済、政治、外交、そして社会の問題を白井さんと縦横無尽《じゅうおうむじん》に語らせていただいた。ウクライナも、コロナも、イスラエルも、SDGsも、そしてLGBTQも、世間に流布《るふ》されている情報と実相《じっそう》の間に埋めようのない乖離《かいり》が広がっている。事態を打開するにはまず、事実を知るところから始めなければならない。そして、より大事なことは、事実を正確に捕捉《ほそく》した上で、自分の頭で考えること。白井さんのすべての言説から学ぶことが多い。

早稲田の教員をしていたときに「魂の殺人」＝冤罪《えんざい》による人物破壊を受けた。そのときの総長が白井さんの父上（早稲田大学第15代総長・白井克彦氏）だった。日本政治の刷新《さっしん》が実現した暁に、すべての冤罪事案の真相を明らかにして報告したいと思っている。刑事司法の腐敗は国家の前近代性の象徴である。その縁のある白井さんに対する社会の要請は計り知れない。大学教員の職責は貴重だが、それ以上に、日本刷新の要請は重く重要だ。レーニン研究の第一人者である白井さんは、まがいものを認めなかったレーニンの生きざまからも強い影響を受けていると推察する。

どれだけ評論を展開しても現実の行動、実践がなければ社会変革は実現しない。すべては主権者である私たち市民の問題であり責任だ。右を見ても左を見ても真っ暗闇《くらやみ》の現実だが、この現実を透徹《とうてつ》した眼で洞察《どうさつ》して、現実を刷新する行動につなげていく。その先頭に立ちうる重要な仕事を白井さんが遂行《すいこう》する姿に期待を寄せる多くの主権者が存在すると思う。

本書に私たちが知っておかなければならない諸問題が網羅《もうら》されている。1人でも多くの主権者、市民と問題意識を共有し、この国の変革を実現したいと願っている。

2024年6月

植草一秀

Round1 経済を読む！——ジリ貧、ドロ沼、制御不能！ 迷走ニッポン丸の針路を導く

Round2 政治を診る！ ――さらば自民！ なるか政権交代！ 政界動脈硬化、その処方箋

Round3 外交を解く！——ウクライナ、ガザ、そして、台湾。ニッポンの立つべき位置や如何に？

Round4

メディアを斬る！

――ジャニーズ、松本人志問題から、LGBTQ、コロナワクチンまで

Round1

経済を読む！

ジリ貧、ドロ沼、制御不能！
迷走ニッポン丸の針路を導く

「アベノミクス」は結局何だったのか

植草　白井さんの発言や行動には、現実の政治への怒り、問題点の指摘が多くあります。同時に、学者として評論するだけではなく、現実に行動して、それを変えようとしている。新しい日本の政治を変える中心的な役割を果たす期待を持っていますし、希望を託したいところです。今回の対談を通じて現状分析や思想哲学の考察だけでなく、今の日本をどういう方向に導き得ることができるのか、そこまで掘り下げたいと考えています。

白井　ありがとうございます。まずは、この30年の日本の政治、経済、社会について、植草さんとしての見解、スタンスについてお聞かせください。

植草　私は経済分析、金融市場、経済政策が専門です。それから一歩離れて1人の市民として、日本の政治への関心をずっと持ち続けてきました。1993年に細川護熙《もりひろ》政権（1993年8月〜94年4月）が誕生し、戦後の日本の政治に変化が生じたという感じもあります。大きな流れでいうと、戦後政治はずっと自民党中心の政治が続いてきた。

自民党の政治は、アメリカに対する従属の姿勢が強い。そういうなかで経済の面に目を転じれば、1990年代半ばからの30年間、日本経済は停滞を続け、格差の拡大が急激な勢いで進行している。今の日本を見ると、夢も希望もない状況になっています。

白井　植草さんは経済専門家でいらっしゃいますが、ブレることなく歯に衣着《きぬ》せぬ批判をされています。経済専門家は結局、それぞれのポジションを気にして、政府の政策を批判するのでも、日銀を批判するのでも、経団連を批判するのでもない。そこそこのところでやめておく（苦笑）。そういう人が残念ながら多い印象を受けます。

植草　だからこそ、私なりになんとか変えたいと考えています。2015年から市民運動「ガーベラの風＝オールジャパン平和と共生」に取り組んでいます。一言で言うと戦争と弱肉強食である日本の政治を、平和と共生という方向に変えたい。政治を変えるためには、衆議院の総選挙で過半数の議席を確保し、新たな政権を樹立しないと進められない。政権交代を実現して、その上で新しい政治を実現することを目指す。

白井　とにかくこの30年の日本の経済の停滞があまりに大きい。そのなかでもとくに、そもそも第2次安倍晋三《あべしんぞう》政権（2012年12月〜20年9月）以降における「アベノミクス」は、なぜうまくいかなかったのか、これが総括されなければなりません。

「三本の矢」なるものが鳴り物入りで喧伝《けんでん》されました。金融緩和と財政出動＝公共事業、成長戦略、つまり産業振興です。不況時にこの3つをやることは、なんら変わった話ではない。一般的に景気を良くしようというときに、よく使われる手段です。

では、何が画期的だったのか。「異次元の金融緩和」という言葉で象徴されるように、「三本の矢」のうち、実行されたのは金融緩和だけ。公共事業はさほど増えたわけでもない。成長戦略も、政府主導で画期的なイノベーションが起きたわけではない。

植草　異次元の金融緩和は、どれだけベースマネーを増やしたかの観点しかないのです。

白井　ところが、これがうまくいかなかった。景気回復も壊滅的インフレーションも起きなかった。いわゆる市中銀行が、国債を日銀へ売って、市中銀行には日本銀行券が入ってきた。ようするに超低金利のもと、このお金がさまざまに貸し出されて、景気を押し上げる。経済活動が活発になって景気が良くなるはずだった。しかし現実には、市中銀行は日銀に金を預けっぱなし。

そこで「日銀超過準備」（準備預金制度に基づく所要準備を超える金額）がそれこそ異次元に積み上がった。景気が良くならなかった理由も、ハイパーインフレが起こらなかった理由もここにあります。

「三本の矢」は折れ、日本経済は尽き果てる

植草　１９９５年から２０２２年までの27年間のドル表示各国ＧＤＰ推移をみると、日本は世界第２位の経済大国から落ちました。２０１０年頃に中国に抜かれて第３位に、23年にはドイツに

抜かれて第4位という状況です。この27年間にドル表示GDPが、アメリカは3・3倍、中国は24倍となっています。日本は1995年からの7年で0・76倍、これだけ縮小している。他方、OECDが発表している購買力平価ベースの平均賃金水準推移でも、日本は1991年に先進5カ国で第3位でしたが、2022年の時点では先進5ヵ国で最下位、さらにお隣の韓国にも抜かれています。

2023年の日本の1人当たりの実質賃金は、前年比で2・5%の減少でした。1996年から2023年までに18%減っている。2012年12月の第2次安倍内閣発足以後、現在までに約9%実質賃金が減った。安倍内閣の成長戦略と「アベノミクス」で、国民の生活は良くなるどころか、どんどん悪くなり続けている状況です。

白井　藤井聡《さとし》氏（京大教授、土木工学・社会工学者）は、「公共事業をもっとやるべきだった」と言っていました。「実際に金が回るように公共事業、景気政策をやっていれば、金融緩和もここまで極端なことをしないで済んだ」と。

植草　「人手不足」と言われることが多いのですが、これは言い方を変えると賃金不足です。需要と供給の関係で言えば、賃金を上げれば労働供給は必ず増える。賃金を適正な水準まで上げれば、必要な人員は必ず確保される。ところがこのことを話題にするときには、アベノミクス信者の十八番《おはこ》である市場原理に基づく考察がなぜか外される。

人手不足と言われている業種は基本的に、大変な仕事なのに賃金が低い業種です。介護サービスも仕事が大変なのに賃金が低い。料理飲食のサービス業、小売り業もカスハラ（カスタマーハラスメント。暴行、暴言、脅迫、誹謗《ひぼう》、中傷、不当な要求、過度のクレームといった悪質な行為）に直面する大変な仕事なのに、賃金が市場原理に基づいて変動することなく低く抑えられている。だから人が来ない。市場原理に基づいて賃金を上げれば解決する問題なのに、それが嫌だから技能実習生とか外国人労働者を導入する方向に話を歪《ゆが》める。大変なのに賃金が低い仕事を外国人労働者に押し付けるのは、奴隷貿易の考え方だと私は思います。

賃金に見合わない過酷な労働を国民が嫌がるから、立場の弱い外国人に押し付けるために労働力を輸入する。まさに奴隷貿易そのものと言えるでしょう。技能実習生の制度は最低賃金を含めて、憲法が保障する基本的人権の保障の枠外で尊厳ある人間を取り扱う非人道的政策です。何でも市場原理で解決しようとする勢力が、この問題になると市場原理など存在しないかのような対応を示すところに、この勢力の本性が表れていると思います。

白井　そもそも政府は一本足打法で、異次元金融緩和だけでなんとかなると考えた。その結果が、このありさまです。

植草　そもそも「三本の矢」に、目新しいものは何もない（笑）。財政については、2013年度にかなり大型の財政出動をしました。でも、2014年度は消費税の5％から8％への増税をやった。いきなり緊縮に転じている。「アベコベノミクス」です（笑）。2013年7月の参議院選挙の直前に『アベノリスク　日本を融解《メルトダウン》させる7つの大罪』（2013年、講談社）という本を出しました。アベノミクスが進むと起こる7つの問題を指摘した。

白井　7つの大罪とはいかに？

植草　インフレ、増税、TPP（環太平洋パートナーシップ協定、環太平洋経済連携協定）、原発再稼働、シロアリ公務員温存、改憲、戦争。

第1の罪に、インフレの推進を挙げました。2012年から13年にかけて、黒田東彦《はるひこ》総裁下の日銀が掲げた2%のインフレ誘導を実現するため、異次元の金融緩和をした。インフレ誘導の政策は、大企業と政府にとって利益がある政策です。

でも、インフレ誘導は労働者、消費者、生活者、一般市民にとってはデメリットの多い政策です。インフレ誘導という政策のアジェンダ（実現目標）そのものが間違っていました。その理由についてはあとで詳しく説明します。もう一つの問題は、短期金融市場に資金を供給したことです。結局、インフレ誘導は失敗したのですが、その原因はインフレ誘導が短期金融市場への潤沢《じゅんたく》な資金供給だけで実現すると判断した点にありました。

白井　それが「日銀超過準備」の激増、いわゆる「ブタ積み」の源泉ですね。

植草　いくら短期金融市場に資金を供給しても、それを原資として市中の銀行が貸し出しを拡大して、マネーストック（金融部門から経済全体に供給されている通貨の量）が増大しないとインフレにはならない。経済学者のミルトン・フリードマンが指摘しています。長期的なマネーストックと名目取引量の間の連動関係、これを実証分析し、彼はノーベル賞をもらった。

重要なことは、短期市場に積まれる残高ではなくて、市中に出回っていくお金の量と名目取引上に連続関係がある。ですから、市中に出回るお金の量が増えなければ、インフレは実現しない。

白井　そうです。まさにそこにポイントがありました。国債を買い取って通貨に替えたところで、それが市中で流通しなければ物価が動くわけがない。

植草　黒田日銀のもくろみがうまくいく保証がないし、うまくいかない可能性が高い。短期市場に資金を積んでも、インフレが実現しないことは立証されたと思います。

黒田氏が日銀総裁に就任したさい、経済学界ではインフレ誘導公約が実現するのかどうかについての論争がありました。多くの学者は、インフレ誘導は実現するとしました。日銀副総裁に就任した岩田規久男氏は、インフレ誘導の公約を実現できなければ、日銀副総裁の職を辞して責任を明らかにすることを国会での所信表明で述べました。しかし、インフレ誘導の公約を実現することはできなかった。

しかし、岩田氏が日銀副総裁の職を辞することはありませんでした。短期金融市場への資金供給を拡大することは、インフレを実現するための必要条件にはなるものの、十分条件を満たすものではありません。見通しを誤った人々は、この点の考察を欠いていたと思います。

２０２２年から23年にかけて、かつて公約に掲げた２％インフレが日本で発生しました。その原因は、20年以降のコロナパンデミックに伴う過剰流動性の供給にあります。黒田日銀下では実現することのなかったマネーストック増大が、コロナに伴う資金繰り融資の激増で発生したのです。アメリカでは27％ものマネーストック増大が観察されました。日本でも、バブル期以来となる10％のマネーストック増大が観測されました。これと日銀の低金利政策の帰結としての日本円暴落の影響で、日本においても激しいインフレが発生してしまったのです。

この事態に対して、日銀が政策路線を転換すべきことは当然です。日本銀行の最重要責務は、物価安定にあるからです。ところが、黒田氏は任期を終えるまで金融緩和路線に執着しました。後継総裁に就任した植田和男氏は、国会同意人事の手続き上、黒田日銀の政策、「金融緩和」路線を継承するとしか国会では答弁できませんでした。しかし、実際に日銀総裁に就任すると、マイナス金利解除や長期金利の上昇容認（イールドカーブコントロール廃止）など段階的に路線修正の方向を明確化しています。これは日銀が取るべき当然の対応です。この点では、日銀総裁人事においては正当性のある決断がなされたと言ってよいと思います。

「デフレからの脱却」に違和感あり

植草　改めて整理しますが、2022年は、特殊なことが3つありました。一つは2020年からのコロナ禍で、資金繰り融資、ゼロ金利融資が激増した。日本のマネーサプライM2（M1に流動性の高い預金口座を足したもの）も9・6％まで増えました。バブル期以来の伸びです。アメリカもコロナ融資で過剰流動性〈大幅な金融緩和により市場の通貨〈流動性〉量が正常な経済活動に必要な水準を大きく上回る状態〉が提供され、それによって資産価格が上がり、物価も上がったわけです。

もう一つは、原油価格が2022年3月に130ドルになった。この原油価格が物価を押し上げた。さらに、日銀による短期金融市場への大規模資金供給資金が、日本円暴落の原因を創出したことです。金融機関は、マイナス金利で円資金を調達して、これをドルに転換して短期資金運用すると巨大な利ザヤを稼ぐことができます。円キャリートレードと呼ばれる資金運用になるので、この形態の取引で大規模なドル買いが発生して、日本円暴落が誘導されたのです。

白井　はい、今まさにそれが進行中です。

植草　最近の150円から160円というドル円の水準は、内外のインフレ率変動の影響を調整した実質実効為替レートに置き換えて計算すると、日本円の水準は1970年水準を下回っています。1ドル＝360円時代よりも、日本円の力は低下しているのです。

この円安も日本の物価を押し上げる要因になり、2022年から23年にかけて激しいインフレが日本でも発生したのです。変動の激しい生鮮食品とエネルギー価格を除くベースでも、日本の消費者物価上昇率は、23年に2％どころか4％を超えて推移したのです。ところが、日銀はこの状況下でも「粘り強く金融緩和を続ける」との政策路線を表明し続けました。

日銀は、「2％インフレが持続的かつ安定的に達成される見通しが確保されるまで」金融緩和を維持すると説明し続けていました。その状況がすでに達成されていることが明白であるのに、金融緩和政策維持の方針を表明し続けた。世界の潮流がインフレ抑止で足並みを揃《そろ》えるなかで、日銀だけが異常な政策姿勢を示し続けたと言ってよいでしょう。

白井　これを抑えるには政策金利を上げればいいわけですが、できない。景気が良くなっていないのに、金利を上げるわけにはいかないですよね。

アベノミクスが始まる前から、リフレ派の経済学者の議論をチェックしていました。そこに非常に違和感があったんです。「デフレからの脱却」という言葉に、そもそも違和感があった。経済学そのものに対する懐疑にもつながるんですが。

デフレ、インフレは、現象と本質という観点からいえば現象です。本質の次元に需要と供給のバランスがあり、需要が供給を上回るとインフレーションになる。逆に供給が上回っているとデフレーションになる。需給バランスが本質であって、本質に対する現象として物価が高くなったり、下がったりということが現れる。

植草　物価の望ましいあり方として、２％程度のインフレ率が存在すること自体は悪いことではないと思います。価格は需給によって変動するもので、平均のインフレ率が２％程度存在することで相対価格の調整が円滑に進展することが期待されるからです。

しかし、このことと、ひたすらインフレの加速を推進することとはまったく違います。インフレの進行は賃金所得者と預金者に損失を与え、賃金を支払い、債務を抱える企業に利益を付与するという非対称性を有するからです。インフレ率が４％を超えて加速しているのにインフレ推進の旗を振り続けることは、日銀法に反する日銀の暴走としか言いようがないことだと思います。

白井　だから、「デフレからの脱却」という言葉に含まれた発想が、非常に危うい感じがしたんです。まず物価から手を付けるというのは、犬を持ち上げるときに、胴体を摑《つか》むのではなく、尻尾《しっぽ》を摑んで引っ張りあげるような話です。そんなことをすれば犬に嚙《か》みつかれるのではないか。

案の定、本質的な景気の部分に手をつけず、貨幣現象でもってインフレーション、それこそ２％の物価上昇をもたらそうというのです。一般庶民は、「デフレ脱却だ」と宣伝すれば、景気が良くなってきたような気がして、自然と財布のヒモが緩んできて、金を使い始めるだろう。そうすれば本当に景気が良くなるのだ、と。しかし、あまりにも心理学に頼りすぎている話です。

心理学に頼りすぎると、うまくいきません。ウクライナ紛争以降、たしかに数字上2％の物価高が実現して、黒田さんもそれを喜んだ。とんでもない話ですよ。景気が良くなったのではなくて、コストが高くなっただけです。

デフレは一種のレトリックだ！

植草　デフレという言葉自体、一種のレトリックです。1998年から2000年頃にかけて、突然NHKが、「デフレ」とニュースのなかで伝え始めた。そこにはいろんな深謀遠慮《しんぼうえんりょ》があった。デフレという言葉の意味は実は多面的です。狭義の意味でいえば、インフレーションに対するデフレーション、物価が上がるのがインフレで、物価が下がるのがデフレです。ただ1998年頃は、長銀（日本長期信用銀行）、日債銀（日本債券信用銀行）など大銀行の破綻《はたん》があって、日本がバブル崩壊で金融波乱に見舞われた。その頃にデフレという言葉が使われ始めている。「デフレ」の2つ目の意味は、「景気が悪い」ということです。バブル崩壊の影響が経済全体に広がって極めて深刻な景気情勢が発生しました。その深刻な不況を表現する言葉として、「デフレ」が用いられたという側面が存在しました。

白井　そうなのです。高校で習う政治経済の教科書に書いてあるのとは明らかに違う意味で使われてきた。もともと経済学にはいろいろと不信感がありましたが、これで決定的になりました。高校生用の教科書の経済学を理解するだけでもおかしいとわかる言葉遣いを、最先端で一流のはずの経済学者がしている。一体これはどういう学問なのか。

植草　もう一つは、１９９０年代後半になって、金融市場に金融不安が広がって、それが連鎖するかもしれないと言われた。この金融不安、金融恐慌的な状況を表現する言葉としても「デフレ」という言葉が用いられたと言えます。当時の状況を「デフレ」という言葉でひとくくりにして表現することを誘導したのは財務省だったと考えています。

私は１９９７年の橋本龍太郎政権（１９９6年1月〜98年7月）の消費税増税のとき、おそらく日本で一番消費税反対を叫んでいた人物だったと思います。その私が１９９７年4月の消費税増税（3％から5％へ）を強行しようとしていた政府を代表する吉富勝《よしとみまさる》氏（経済企画庁経済研究所長）とＮＨＫの『日曜討論』で激論しました。私は「消費税増税に突き進むと、不良債権問題が火を吹き、大変なことになる。不良債権も１００兆円ぐらいあるのが実態だ」と言ったら、吉富氏がかんかんに怒り出した。

実際に１９９７年4月に増税が強行されて、日本経済は私の警告通りに金融恐慌に突き進みました。97年11月に三洋証券、徳陽シティ銀行、北海道拓殖《たくしょく》銀行、山一證券が破綻《はたん》、98年には日本債券信用銀行（日債銀）、日本長期信用銀行（長銀）が相次いで破綻しました。消費税増税を契機に株価が急落し、資産価格下落が不良債権問題を拡大させ、景気悪化と資産価格下落と不良債権問題拡大が「魔のスパイラル」を形成した当然の帰結でした。日曜討論で私が警告したのが、この連鎖反応《れんさはんのう》だったのです。

ところが、責任を負うべき旧大蔵省（現財務省）は、「アジアで金融危機などが発生して、ひどいことになった」と言いだした。金融危機を検証する研究会を組織して金融危機の原因は消費税増税ではないという「政府見解」を捏造《ねつぞう》しました。金融危機を警告した私を検証委員会に招聘《しょうへい》するのは当然のことと思われましたが、私には声もかけずに御用の学者などを集めて「政府見解」をまとめたのです。

1990年代の財政政策運営と不良債権問題処理の誤りによって日本経済大崩壊をもたらした最大の元凶《げんきょう》である旧大蔵省は、自己の責任を隠蔽《いんぺい》する検証報告を捏造した上、さらに「デフレ」という言葉の流布によって、責任を日銀に転嫁する企《たくら》みを現実化させていったのです。

白井　なるほど。「デフレ」と言えば貨幣現象なので、日銀の所轄《しょかつ》に見えるから、そこに責任を転嫁すると！

植草　当時の破滅的な状況を表現する言葉として「デフレ」という語が用いられたのですが、この言葉の採用の狙《ねら》いは「デフレ」の第一義にあります。デフレの第一義が「物価下落」であるため、「デフレ」の責任は物価に責任を負う機関にあるとの主張につなげることができるのです。

旧大蔵省の凄《すご》さというか狡猾《こうかつ》さは、この策略の遂行《すいこう》のために大掛かりな仕掛けを用意したことです。

リチャード・ヴェルナー氏（ドイツの経済学者、エコノミスト）の『円の支配者　誰が日本経済を崩壊させたのか』（草思社、２００１年）と幸田真音《こうだまいん》氏（小説家）の『日本国債』（講談社、２０００年）という著作が突然大宣伝されました。『円の支配者』は日本経済大混乱の原因は日銀にあることを訴えるもの、『日本国債』は緊縮財政を採用しなければ日本が財政破綻するというものです。

財政再建のために消費税増税を強行した旧大蔵省の政策運営は正しかった、日本経済が大混乱に陥ったのは、日銀の政策対応の失敗にあると訴えるものでした。ベストセラーとなった両書の大掛かりな販促の本尊が旧大蔵省＝財務省であったことは間違いないと思います。

『円の支配者』はバブル崩壊の大混乱を引き起こした最大の元凶は日銀だとするもの。『日本国債』は日本の緊縮財政を正当化、賛美する内容で、これらの本をフジテレビの「報道２００１」で竹村健一氏（政治評論家）が絶賛して紹介するなどの場面がありました。このときから、日本崩壊の主犯を日銀に仕立て上げ、日銀にインフレ誘導政策を強要する謀略が企画、演出され、その延長線上に現在があると言ってよいと思います。

１９９７年から98年の金融恐慌の淵《ふち》を望む最悪の経済情勢を表現する言葉として、「デフレ」を流布させた旧大蔵省の策略は、高等な推理小説のトリックに近いものを感じさせるものでした。

人々は最悪の経済情勢を「デフレ」と理解しましたが、この言葉の第一義が「物価下落」であるというトリックを用いて、最悪の状況を生み出した犯人は日銀であるというストーリーを狡猾《こうかつ》につくり上げたものと言えるのです。いやはや、旧大蔵省の「悪だくみ」には恐れ入るという感がします。

白井　大変説得力があると感じます。民主党政権（2009年9月〜12年12月）になる前、2008年頃と思いますが、若田部《わかたべ》昌澄《まさずみ》氏（のちの日銀副総裁）と話をする機会があったんです。当時の若田部氏はリフレ派の論客として活躍していて、僕が「なぜこんなに日本の景気は良くないんですか」と素人臭い質問をした。

丁寧に説明してくれましたが、要約すると「日銀がアホなことやってるから」だと。その言葉に僕は、すごく違和感があった。「いやいや、日銀だけが悪いという問題ではないだろう」と。

植草　その違和感は、まさに核心をついています。すごいネガティブキャンペーンで、「責任は日銀にある」と。

実質賃下げ。止まらぬ負のスパイラル

植草　そもそもインフレ誘導は、企業の労働コストを下げることを狙って提案されたものでした。

1989年にベルリンの壁が崩壊して、東側社会が新しく資本主義経済に組み込まれ、生産拠点化していった。先進国側の製造業が苦境に追い込まれ、人件費＝労働コスト削減を迫られることになった。当時、急激な進化を示したITをフル活用してビジネスモデルを全面的に書き直すビジネスプロセス・リエンジニアリング（業務内容や業務フロー、組織構造などを根本的に再設計すること）が全盛になったのです。

先進国の競争力を強化するために、労働コストを引き下げることが必要不可欠になった。それでも、物価下落＝デフレの状況下で名目賃金を下げることは容易ではない。しかし、物価上昇＝インフレが生じれば、名目賃金の引き上げを見送るだけで、インフレ進行分の実質賃金を下げることが可能になります。このことからインフレ誘導が目指されることになったのです。

最近の日本ではインフレを容認、あるいは推奨した上で、「このインフレを上回る賃上げを実現しましょう」などと叫ばれています。そもそもインフレ誘導政策が提唱された出発点に、インフレによる実質賃金の引き下げという狙いがあったという事実を見落とすことはできません。

白井　なるほど。グローバル化以降、資本家の権力が物価の操作に乗り出してくる必然性がよくわかりました。かつ日本の場合はそれに加えて、劇的に賃下げをやってきたわけですよ。雇用の脱正規化によってね。その意味では、わざわざインフレ誘導する必要がなかったともいえます。

植草　日本では1996年から2023年までの27年間で18％も実質賃金が減っている。ただし、この27年間にも5回ほど、実質賃金が小幅に増えたことがあるのです。その背景が何であったのかを知るために、消費者物価上昇率の変動と比較してみます。実質賃金が小幅に上昇した5回のケースのすべてにおいて、物価上昇率がマイナスになっていることが判明します。つまり、物価下落＝デフレのときだけ、日本の労働者の実質賃金が増えているのです。逆にインフレの局面では実質賃金が減少します（32ページ図A・B参照）。

労働者にとって重要なのは名目賃金ではなく実質賃金です。実質賃金が増えるのはデフレの局面で、インフレの局面では実質賃金が減りますから、労働者にとってはインフレではなくデフレがいい。インフレは実質賃金を減らす効果を持ち、これがいいのは、労働者ではなく労働者を雇用する側＝企業なのです。この点をはっきりと認識することがインフレ誘導政策の是非を考える際に決定的に重要になります。

賃金を支払う企業がインフレで得をすることを示した通り、インフレによって利益を得るのが債務者であることも押さえておかなければなりません。この点で重要になるのが財務省の思惑です。借金の残高の実質価値は、インフレになればなるほど下がります。１０００兆円の借金は税収が50兆円なら税収の20年分に相当しても、物価が10倍になって税収が５００兆円になると税収の2年分に激減します。インフレによって借金が10分の1の重みに減じるのです。

インフレは、債務者に利益を、債権者に損失を与えるものなのです。日本一の借金王である財

図A「実質賃金指数（現金給与総額）」　（2020年平均＝100）

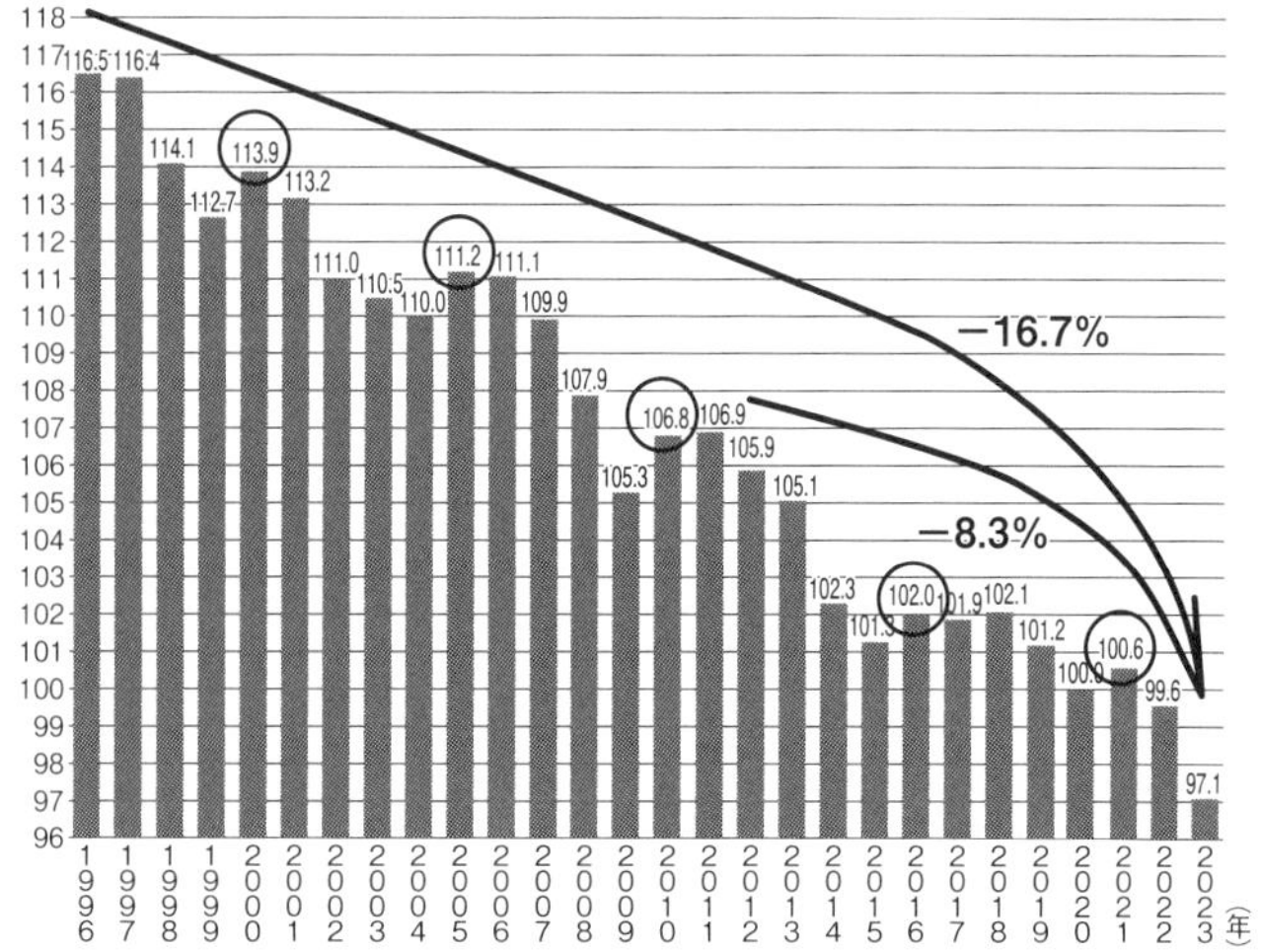

出典：厚生労働省「毎月勤労統計調査」実質賃金指数

図B「消費者物価指数上昇率（総合）」　（前年同月比、%）

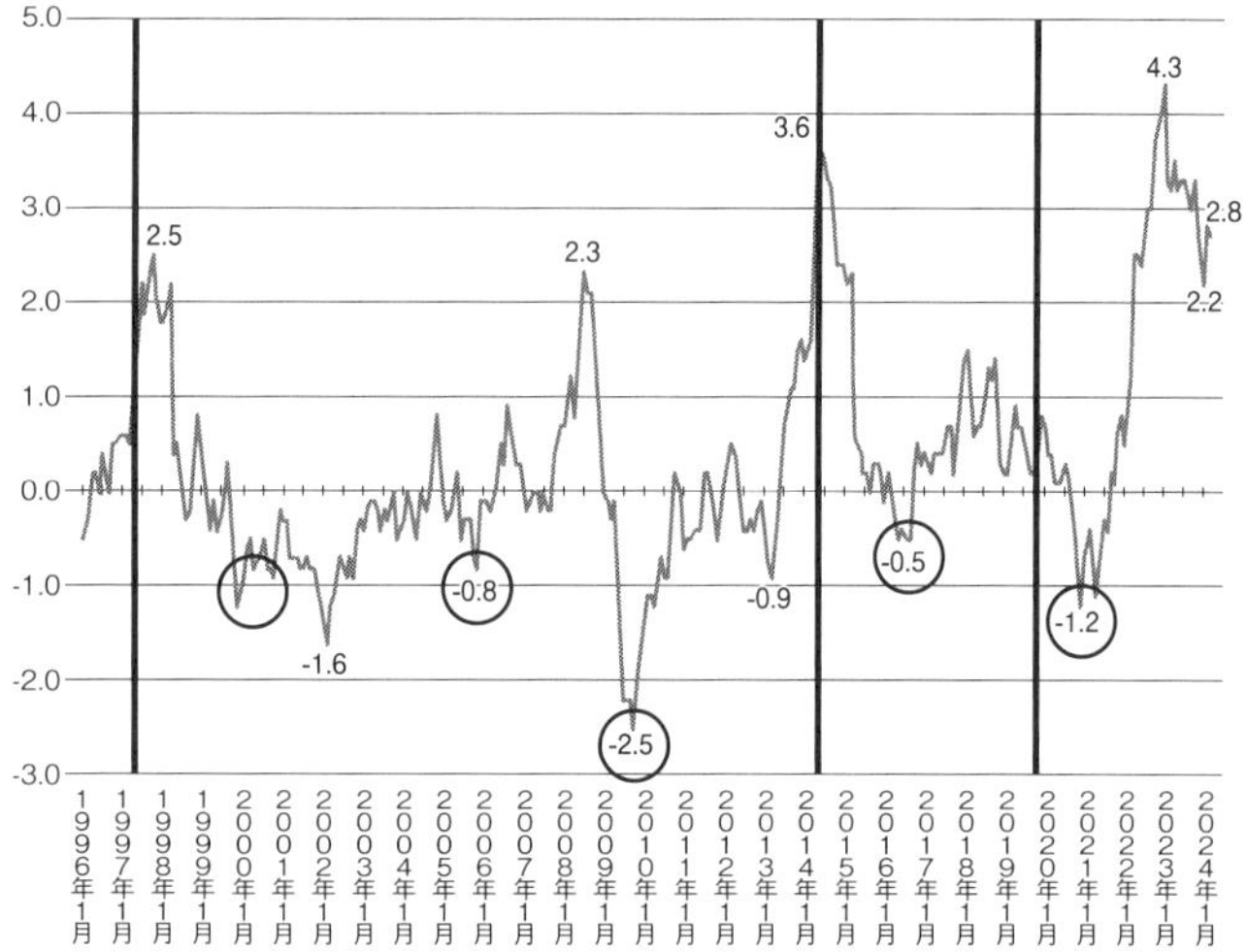

出典：総務省「消費者物価指数」前年同月比上昇率

務省は、「どこかで1回、激しいインフレを引き起こしたい」と心の底から願っていると言って間違いありません。

白井　借金が棒引きになるから。

植草　その使命を帯びたのが日銀の黒田東彦元総裁です。1970年、80年代の日本は、インフレをいかに抑えるかが課題でした。この時代の金融政策運営上の最重要要諦《ようてい》は、「物価と賃金のスパイラルを起こしてはならない」というものでした。物価上昇を理由に賃金が引き上げられる。すると、賃金上昇を理由にさらなる物価上昇が起こる。これが物価と賃金のスパイラルです。これを起こさないこと。これが金融政策運営上の最重要要諦とされました。

アメリカは2022年からインフレになり、FRB（アメリカ連邦準備銀行）はインフレ抑制に全力を注いできました。同じ政策対応を示したのがECB（欧州中央銀行）です。FRBは、インフレ抑制を確実にするために賃金上昇率の変化に最大の注意を払っています。物価安定＝インフレ抑制のために最重要の指標は賃金動向です。賃金上昇率の抑止を確認することがインフレ抑止の決め手と考えているわけです。

このため、毎月発表される雇用統計においては、時間当たり賃金上昇率の変化に最大の注意が払われます。賃金上昇率がインフレ目標と整合的な水準にまで低下したことを確認できるまでは、インフレ抑止の引き締め政策を緩められないとの判断を示しているのです。この点でも、日本におけるインフレを上回る賃上げを煽《あお》る大合唱がいかに、奇異なものであるのかがわかります。

白井　スパイラルが起きると、どこまで行くかわからない、という恐怖感があるわけですよね。

植草　激しいインフレが起こると、激しい金融引き締め政策が必要になります。そうすると激しい景気後退が起こる。経済が均衡《きんこう》を回復する、つまり、インフレなき完全雇用状態に回帰するまでの調整期間は長期化し、その間の人々の苦難が拡大してしまいます。インフレを未然防止して、激しいインフレ＝激しい金融引き締め＝激しい景気後退の苦しみを減じることが重要であるとの考え方が打ち立てられてきたのです。

１９８０年代までの、インフレへの対応を基軸にした金融政策運営において、「インフレの未然防止」、「インフレなき成長の持続」が最重要課題に位置付けられたなかで、日本は世界のなかでも賞賛される金融政策運営の実績を示したと言えます。伝統的な日銀マンにとって、この基本が背骨を形成してきたと言えるでしょう。ところが、日銀法が改正されて９人の日銀政策決定会合メンバー（総裁、副総裁２名、審議委員６名）のすべてが「政治任用」になってから、日銀の「伝統」は根底から崩されることになりました。

日銀の政策決定権限者全員の人事権が内閣と政権与党に与えられることになったため、とりわけねじれのない政権体制下においては、内閣が日銀を実効支配することになりました。時の政権の意向によって日銀の金融政策運営が、全面的な影響を受ける状況に転じてしまったと言えます。

この結果として、インフレ未然防止の政策運営は排除されて、インフレ誘導・インフレ推進一色の金融政策が出現してしまったのです。

円安で為替誘導した安倍政権の罪

植草　賃金の問題でいえば、賃上げができるのは大企業だけです。中小企業は取り残され、ますます格差が広がる。労働組合が労働者全体の利益のために発言するのであれば、物価抑制を第一にして、追加的な要望事項として物価を上回る賃上げを要求するべきです。それならバランスが取れる。

白井　「賃上げ、賃上げ」と言っても、インフレのため現実には実質賃金が去年もマイナスですから。

植草　私は「アベノミクス」の核心は、成長戦略にあったと思います。「成長戦略」と表現すると聞こえはいいですが、「誰の」「何の」成長であるのかがカギになります。「成長戦略」を良い響きだと感じるのは、その成長が「私たちの利益の成長」だと考えるからです。ところが、アベノミクスにおける成長戦略とは「大資本の利益の成長」戦略でした。言い方を変えると、「労働者の不利益の成長」戦略だったのです。

成長戦略の柱は5つでした。第1は農業の自由化、第2は医療の自由化。自由診療をどんどん拡大するのも、医療の自由化です。第3は労働規制の自由化。規制の撤廃が推進され、最終的には解雇の自由化が断行されるでしょう。第4が法人税の減税、第5が経済特区の創設です。これらはすべて、巨大な外国資本が日本での活動を拡大するためのものです。

大資本の最大の要請は、労働コストを下げること。そのための規制改革を日本がやった。「働き方改革」と表現すると、これも良い響きですが、実態は「働かせ方改悪」でした。長時間残業の合法化、定額残業させ放題労働プランの導入と拡大、正規・非正規格差固定化、派遣労働拡大などが推進され、日本の労働者の実質賃金は減少の一途をたどりました。

法人の税負担は大幅に軽減され、特定の資本に恣意的《しいてき》に利益を供与する特区政策が推進されました。金融緩和は極めて筋の悪い施策、財政政策は消費税大増税でアベコベになり、本格的に推進された成長戦略は大資本利益の成長戦略でした。国民は被害だけを享受することになりました。

白井　さらには、円安へと実質的に為替誘導したわけです。これは輸出企業に対する依怙贔屓《えこひいき》の政策です。安倍政権時代、『永続敗戦論　戦後日本の核心』を出した直後（2013年）の頃の思い出があります。新宿で編集者と飲んでいた。その若い編集者が、なかなか元気のいいやつだった。隣の隣ぐらいに若い女性の2人組がいたので、「ナンパしてきていいですか」と言いだした。

植草　ナンパしたの？

白井　しました。それで4人で飲み始めた。女性2人は、ある大手自動車部品の会社に勤めている会社員で、おそらくはトヨタや日産の下請けでしょう。「アベノミクスで景気が良くなる」とメディアが盛んにプロパガンダしている頃です。そこで、ちょっとかまをかけた。「アベノミクスで会社もだいぶ、調子が良くなっているんじゃないの」。すると開口一番、「そうでもないです」と。為替レートが円安になっているから、完成車を売る頂点にいる親会社は、たしかに数字は上がる。でも、下請けの部品会社は、原料を輸入して、それを加工して、トヨタや日産に納入する立場だから、輸入コストが上がるばかりなんだと。

植草　その2人は、本質を見ていますね。

白井　そうなんです。かたやテレビでは、たいそうな肩書を持った経済学者が「これで日本経済が良くなります」と言っている。特定の日本産業界の頂点に立っている企業にとっては、アベノミクスはとても都合がいい。その下で従属させられている下請け、関連企業にとっては、良くてもおこぼれがもらえる程度です。アベノミクスは、そうした階級的な性格をすごく隠蔽してきた。

ちなみに彼女たちの学歴は短大卒だと言っていました。エコノミストやら経済ジャーナリストやらよりも、市井の人々のほうがずっと正しい認識を持っていたということです。

植草　2012年12月に、第2次安倍内閣が発足しました。それから2017年までの5年間に、財務省の法人企業統計に基づくと、法人企業の当期純利益、法人企業全体ですから中小企業も入りますが、圧倒的に大企業が利益を上げました。なんと5年間で純利益が2・4倍になっている。

でも日本経済は全然成長していない。経済のパイが拡大していないのに、大企業の利益が増えた。労働者の分配所得が減っている証拠です。労働者にとってはマイナスで、大企業の利益だけ増えた。アベノミクスは、大企業利益の成長戦略ですよ、まさに。

円安が大きく進行したので、輸出製造業の最終親会社もすごく儲《もう》かる。消費税についても、輸出の部分はカウントダウンで、国内出荷の支払いと輸出の還付を相殺すると、巨額の還付になる。消費税増税が進むほど輸出製造業の親会社には国からお金が入ってくる。

安倍さんに責任を押しつけて済むのか

植草　消費税の分を、下請け企業が全部価格に転嫁するかというと、親会社は強いですから、そこは全額価格転嫁などできるわけがない。消費税の増税は、輸出製造業に巨大な利益を与えることになった。それだけではなく最近の事例ではトヨタに対して、EV（Electric Vehicle、電気自動車）向けのリチウムイオン電池開発のために政府が補助金を1200億円も出しています。

白井　トヨタなんて自前でいくらでもお金を持っているのに！「銀行も必要ない」と言われてい

る会社ですよ。

植草　自民党政治は、かたや庶民に対しては年間200億円のひとり親の生活保護世帯（一般世帯の4割に満たない収入）への母子加算（1949年成立）を2009年に廃止し、生活保護の生活扶助を10％切り込むなどの施策を強行してきた。単一の企業に小遣いでも渡すように1200億円をためらいもなく供与し、一般国民には少額の給付も切り刻む。日本の政治構造、財政構造が庶民切り捨て＝大資本への利益供与体制になり切ってしまっている。

白井　それが安倍さんだけの責任になっている。僕はアベノミクスを論じるに際して、安倍さん1人を悪者にして「あれはダメだった」と言いたくない。彼だけを責めて済むような話じゃなく、もっともっと根は深い。

最大限、安倍さんにひいき目に言うと、こういうことだと思うのです。「日本資本主義を再び好軌道に乗せるために、イノベーションを起こしなさい。そのために、超低金利政策で金を借りやすい状況をつくったし、為替操作で大企業に余裕を与えてあげるから、それを活かして成長の源泉をつくりなさい」と安倍さんは考えた。

それで大企業、大資本は何をしましたか？　本当に何もしなかった。「円安誘導で儲かった！この金を従業員にばらまこう」ならまだマシです。従業員とその家族は懐が温まりますから。

植草　大企業が利益を支出に回していれば、投資にしても、消費にしても、賃金にしても、お金が循環するから経済は回ります。経済発展するための条件です。

白井　それこそトリクルダウン（富裕層がより富むと、貧困層も自然に富を得る理論）で、いろんなところにお金が流れたはず。でも、しない。研究開発や設備投資をしないから、イノベーションが起こらない。給与も抑えているから消費も伸びない。内部留保で金を溜《た》め込んだだけです。

　だから、明らかに安倍さんだけが悪いというような話ではないのです。何の展望も創造性もない経営者たち、これが発達したガン細胞のように産業界を覆っている。

植草　今の日本経済で一番問題なのは「分配」です。分配は、生産活動によって生まれた果実を、誰にどう分けるかという問題です。

　そのパイ全体は、どんなことをやっても全然増えない。冒頭で１９９５年から２０２２年までの各国のドル表示名目ＧＤＰ推移を紹介しましたが、ドル表示名目ＧＤＰはアメリカが３・３倍、中国が24倍になったのに日本は76％に減り、その縮んでしまったパイを誰にどう分けるのかという部分で、大資本への分配が圧倒的に拡大して、労働者の分配所得は減り続けた。従業員１人と企業トップの所得格差もアメリカ並みに変化し、広がってきた。大資本への分配は拡大し、役員報酬も激増したが、同時に内部留保も激増の一途をたどっている。その残高は５５５兆円（２０２２年度末）に達しています。

　内部留保に対して、税をかけるべきとの提案もあります。するとすぐに二重課税だとの反論が出ます。法人税を課した後に内部留保税はけしからんと。でも考えてみてください。労働者は所得税がかけられた後の可処分所得で消費しますが、消費するとまた消費税で税金を取られます。これも立派な二重課税ですから内部留保課税への反対は許されません。

巨大な利益を上げる大法人に適正な税負担を求め、その税収を財政支出で経済に還元すれば、経済は循環します。ところが、法人の税負担がどんどん減っている。1989年4月に3％の消費税が導入されてから2023年度までに、消費税で約510兆円が吸い上げられました。ところが、同じ期間に、法人の税負担は320兆円減り、個人の所得税・住民税負担も290兆円減りました。合わせて610兆円の税負担が減ったので、消費税収は財政再建にも社会保障制度の拡充にも1円も充当されていないことになります。税負担軽減の恩恵の大半は大資本と富裕層が享受したものです。

日本の巨大企業、大法人の税負担は、経常利益に対する税負担率で考えても圧倒的に低い。巨大法人の実効税負担率は著しく低位に抑制されている。国税庁で大蔵事務官を長く勤めたのちに、中央大学教授として税務会計学を創設された富岡幸雄氏（故人）が2014年に『税金を払わない巨大企業』（文春新書）というタイトルの新書を刊行され、三井住友フィナンシャルグループの実効税負担率が0・002％、ソフトバンクが0・006％など実名で実態を明らかにされて、話題を呼びました。日本はそういう国になった。消費税収のほぼすべてが、大資本と富裕層に供与されてしまった事実を知る国民は、皆無に近いのではないでしょうか。

白井　日本共産党が、「企業の内部留保を召し上げるべきだ」と言っていますが、僕はいい政策だと思いますよ。なぜ企業は、利益を出すことができるのか。その利益を正当に社会的に還元しなければ、それはただの悪徳でしかありません。

共産党の言い分はこうです。「あなた方はいくらお金を稼いでも、もらっても、溜め込むだけで使い方がわからない。わからないのなら、没収します」。これは共産主義的政策というわけでもありません。むしろ、資本主義経済を回すための政策です。

消費をしたら金が取られる「消費懲罰税」

植草　今の話は、税制の問題と関係します。一応税制の基本原則があります。日本は所得税中心主義で、総合所得課税をベースにしてきました。それがなし崩しで改変されてきた。法人の税負担も大企業ほど所得に対する税負担率が低い。金融機関は不良債権処理の時代が長く続いたので、その「負の所得遺産」を活用して税金を払わない時代を続けてきた。

法人税率をたとえば30%に決めていたら、その分きちっと適用すれば問題は解決します。個人の所得税も、税負担率は所得の増加に連動して上昇するのですから、高額所得者の税負担は高額になるはずなのです。ところが実際には年収が1億円を超えると、どんどん税率が下がっていく。

白井 不条理ですよね、年収1000万円、2000万円だと税金が一気に高くなる。今の日本では、1000万だと高額所得者扱いされますが、子どもがいて、家族4人なら大した額じゃない。それなのに急に税率が高くなる。それが年収10億円、20億円になっても、1000万円の人とたいして税率は変わらない。

植草 どちらかといえば、下がっていきます。金融所得の分離課税によって。金融所得だけを所得源とする富裕層の税負担率は20%まで低下してしまう。金持ち優遇税制が厳然と存在するのに、政府はこれを是正しようとしない。岸田さんも2021年の総裁選の初めに金融所得課税見直しに言及しましたが、わずか1ヵ月で撤回してしまった。

他方、所得税の場合、夫婦と子ども2人の4人家族では、子どもの年齢によりますが、片働きの場合は年収で350万円ぐらいまでが無税になります。所得税制度には、所得の多くない納税者の税負担が過大にならない工夫が制度にビルトイン（内蔵）されています。ところが、消費税はこのような配慮が皆無。年収10億円の人と年収200万円の人の税率が同一です。

白井 すべての消費にかかりますから。

植草 年収200万円の人も10億円の人も、同じ10%です。年収200万円の人の多くは200万円を丸々使うことが多いでしょう。こうなると収入金額の10%が消費税で奪われてしまいます。

所得税であれば、収入金額200万円なら、各種控除で税額はゼロに近いはずです。ただし消費税で20万円も持っていかれたら、生存権さえ脅かされることになります。

格差拡大が進行して、一握りの超富裕層に所得分配が集中し、一般大衆の所得水準がどんどん減少しています。国税庁が発表している民間給与実態調査によると、1年を通じて勤務した給与所得者の51%が年収400万円以下、21%が200万円以下です。世帯所得でも、1994年から2019年までの25年間に、世帯所得の中央値が505万円から374万円に131万円も減っています。

白井　だから内部留保に課税したらいい、という話になるんです。これに対しては、「企業はすでに法人税を納めているのだから多重課税になる」という反論が出てきます。しかし、厳密に考えると多重課税なんて、そこら中にあるわけです。ガソリン税なんて代表的です。

植草　ですから、内部留保に課税するのは全然ありです。きちんと法人税は取るべきです。うまく租税回避して、グローバルに活動する企業は、世界各地で租税回避を極めている。であれば、最終的には内部留保に課税する共産党のような話があってもいい。

法人税が二重課税だという反論は出てきても、消費税だって課税後の可処分所得による消費への課税ですから立派な二重課税。二重課税で内部留保課税を認めないなら、「同じ二重課税の消費税を廃止せよ」と反論すべきでしょう。

白井　もはや所得は、貧富の状況を判定するさいにそれほど大きな意味を持たなくなってきている。「大金持ちには、資産に課税しないとダメだ」とトマ・ピケティ氏（フランスの経済学者）も言っています。内部留保への課税は、それとある意味、似た話ですね。税制改革も根本的に考えるべき時期に来ていると思います。

日本の経済学者はバカばかり？

白井　「アベノミクスと知識人」ということで、浜田宏一氏（経済学者）に触れておきたい。アベノミクスの司令塔だったはずです。あの人が安倍さんに吹き込んだのですから。浜田さんが、最近新聞（2023年3月14日付「東京新聞」）のインタビューに応えていて、愕然《がくぜん》としました。「安倍晋三よりもバカじゃないか」と。その記事によると、安倍さんは「トリクルダウンは自然に起こるものじゃない。もっと政府が介入して賃金を上げさせないとダメだ」と言ったそうです。

浜田さん一派の経済学者はどう反応したか。「賃金は民間経済が決めることで、政治が介入することではない。トリクルダウンは自然に起きる」。安倍さんは「そうか」と言って、結局退き下がったし。安倍さんが春闘に介入しようとしたときもありましたが、結局それも中途半端に終わりました。

植草　浜田さんは、かつては学者だったかもしれませんが、すでにもう学者ではなくなっている。NHKの報道番組に出たときに、クリスティーヌ・ラガルド氏（当時は国際通貨基金専務理事、現欧州中央銀行総裁）のことを「ガルダス」と言っていた（苦笑）。その間違いを誰も注意せず、そのまま放送で流されちゃった。

白井　この話、安倍晋三のほうがよっぽど正しいじゃないかと僕は思う。「デフレからの脱却」を叫ぶのなら、賃金上昇のムードを実効的に作っていかないといけない。安倍さんはある種の政治家の勘として、それをわかっていたのでしょう。だから「異次元金融緩和の次は賃上げに政治介入しなきゃ」と言ったら、経済学者たちに押し返された。本当に、経済学という学問はなんなのでしょう。

植草　浜田さんの講義を、私は学生のときに受けています。もともとは理論的なことを紹介する学者だったのに、そうですか。もはや評論する基盤を失っているのかもしれませんね。「賃金に政治が介入すべきではない」ことで言えば、市場にすべて委ねるという、ミルトン・フリードマン氏（アメリカの経済学者）の立場に近いのかもしれません。浜田さんはもともと、フリードマンの立場にそんな近い人ではなかったはずですが……。そこは安倍さんのほうが現実の政治の問題として、何が必要なのかわかっていたんでしょう。

白井　安倍さんの知性については、あまり評判が良くありませんでした。しかし、驚くべきことに、彼に政策を吹き込んだ学者＝経済学者たちは、安倍さん未満だったのです。

「岸田さん、ネオリベやめないってよ」

植草　ＮＰＯ法人を隠れ蓑《みの》にした財政資金の不透明な流れで、本書のＲｏｕｎｄ４で話題にするＬＧＢＴＱに関連して報酬を吐きだす話があります。それと似た話で、金融庁が主体となった金融教育を小学生レベルからやっていて、そこにＮＰＯから講師を派遣する流れが生まれています。これも奇妙な話ですよ。

白井　金融教育を子どもに対してやるのは、「君たちは真っ当に労働しても、基本的にまともな生活は送れない。だから金融的手段でどうにかしてね」ということ。それをいわば国家自らが告白している。

植草　岸田総理が「新しい資本主義」と言い始めましたし……（笑）。２０２２年、ロンドンに行って「日本に投資しろ、インベスト・イン・キシダだ」と安倍さんの真似して言い始めたでしょう。「分配が大事だ」と。これは正論だった。たしかに分配が重要で、これと「新しい資本主義」がセットで出てきたので、その意味ではちょっと期待感があった。

白井　「ネオリベ（新自由主義）を転換するんだ」と岸田さんは言っていましたから。

植草　「分配の是正」として最初に金融所得課税の見直しを出した。自民党の総裁選のときで、それが原因かわかりませんが、株価が少し下がった途端、この話が消えたんです。消滅した。

白井　僕もびっくりしました。未確認情報で、本当かどうかわからないんですが、あの総裁選と「ネオリベをやめるんだ」みたいに言った最初の所信表明演説のスピーチライターは、中野剛志《なかのたけし》氏（経産官僚、評論家）だった、という話があります。だとすれば辻褄《つじつま》は合う。

ところが政権が正式発足したら、中野さんなどはあっという間に追放されてしまって、岸田首相は財務省の犬になった。一体何が起きたのか。外から見る限り、中野さんあたりが書いてもおかしくないことを岸田さんが言っていた。そこから180度の転換をしたこともたしかです。

植草　最初は「分配」と言っていた。それが途中から「分配と成長」になって、そのあと「まずは成長だ」と（笑）。結局、アベノミクスに戻ってしまった。そうした人的な事情があったとすると、わかりやすいですね。

白井　またこの転換は、岸田さんにはいかなる定見《ていけん》も思想もないことの証明ですね。空洞そのものです。

「大蔵事務官」は「大蔵事務員」で十分

植草　さきほど「トリクルダウン」について話しましたが、そもそも大金持ちは、追加的な所得があっても消費に回さない。手厚くしなければならないところの分配を薄くして、お金があり余っているところに集中させている。大企業もそうです。内部留保として溜まってしまい、有効需要が構造的に停滞します。

それこそ消費税は、消費をしたらお金を取られるわけです。「消費懲罰税」と名前を変えたほうがいい（笑）。消費に対してマイナスのインセンティブ（動機、刺激、誘引）が働くし、消費を押し下げます。そういうことをやってきたので当然、日本の経済は停滞します。

白井　この30年の停滞について考えるとき、特定の機関、日銀を悪者にするという話が出ましたが、中央銀行が政策を誤ったなんていうレベルの話じゃない。

仮にそれが真実だったら、なんと素晴らしいことか。リフレ派が正しかったのだったら、日銀が正しいことをし始めれば、魔法のように日本経済は良くなる。でも、なりませんでした。10年以上経っているわけです、アベノミクスが始まってから。失敗だったことは十分に証明された。

僕の目から見ると、企業が内部留保ばかり溜め込むのは、真の成長をもたらす投資をしないからです。本来は研究開発など、ガンガン金を使えばいい。それを決断する勇気がないことは、何を意味するのか。

植草　日本経済が長期停滞している側面は2つある。一つは需要と供給のバランスで、いわゆる有効需要が消費懲罰政策によって抑圧され、構造的な需要不足が生じて需給バランスが崩れてしまった。

もう一つは、成長をもたらすのは生産性の問題です。労働力減少も深刻ですが、それ以上に生産性の向上、技術進歩も問われます。ただし技術進歩をもたらすのは人間です。その部分に問題があるのではないかと。

白井　エリートの墜落が深刻です。極論すれば、財務省の改革など到底無理で、解体しなければならない。財務省の中枢部が、他責するばかりで自分たちの誤りを認めて方向転換できないのは、日本のエリートの精神の貧しさ、浅ましさ、似非《えせ》エリート性を表していると思います。

大学時代、官庁へ入りたがる東大生が集まるサークルと交流したことがあるんです。非常に気持ちの悪い人たちでした。学生のくせになぜかすでに官僚気取りで物を言う、歪《ゆが》んだエリート意識の塊みたいな人たちでした。そういう人間が集まれば、どんな役所になるか、考えるまでもない。こうした本質的批判は、財務省内部からは決して出てこない。植草さん、森永卓郎さん（経済アナリスト）など、一度外からインサイドに入った人たちから、彼らの真の姿が情報として伝わってくる。

こんな組織は改革など不可能です。潰《つぶ》すしかない。本当は民主党政権のときに、それをやろうとした。端的にそれをやる任務を負ったのが、国家戦略局でした。あれは旧大蔵省、財務省の主計局にとって代わることが目的だった。

ところが不思議なことに、なぜか主計局を廃止しなかった。そして国家戦略局なるものも何の機能も果たさなかった。あれは菅直人《かんなおと》氏と仙谷由人《せんごくよしと》氏の大罪であり、万死に値すると僕は思う。

植草　私は公務員制度改革について、提案したことが3つあります。まずは天下りの禁止。単に公的機関のみではなく、退職直前、たとえば10年間に関与した業界に関連した企業への天下りも禁止する。天下り禁止については、「職業選択の自由を侵す」という反対意見もありました。でも菅さんは一度、天下り禁止を打ち出したはず。

2番目に第1種公務員制度を廃止する。普通の企業は大卒を採用し、そのなかで競争があって出世レースが起こり、最後の1人が社長や経営トップになる。官庁は上級職公務員、第1種公務員は、昔の高文試験制度をそのまま引き継いだもので、入省時点で幹部になることが保障されている。そこで勘違いするんですよ、「自分たちは世の中を動かす中心なんだ」と。

公務員試験に合格したと言っても単にペーパーテストをクリアしただけのこと。大学受験を通過した者なら労力を割けば通るものです。その公務員制度で省庁別採用を行うから各省庁の省庁エゴが前面に出てくる。「全体の奉仕者」とは、真逆の省益優先の利権争いが生じることになります。公僕《しもべ》のはずが「民が自分たちの僕である」との逆立ちした認識が充満して、すべての政策を歪めています。特権階級を生み出す公務員制度は廃止する。大卒採用を一本化して一般企業同様、普通の競争を行わせて、その競争を通じて幹部を選出すれば良い。

3番目は名前を変える。「官」とつくから本人が偉そうになる（苦笑）。「大蔵事務員」で十分です。そのほうが、ちゃんと仕事をするように思えませんか。

白井　「大蔵事務員」、いいですね（笑）。内閣が決めたことを円滑に執行するのが、公務員の役割ですから、それでいいです。

植草　役所の部署名もおかしい。「大臣官房」とか、昔の名前をつけている。そんなのは「総務部」でいい。なぜ「局」「官房」とつけるのか。中身がないから包装紙だけ仰々《ぎょうぎょう》しくしているだけのことですね。

「審議官」「裁判官」も「審議員」「裁判員」でいい。裁判員制度が始まりましたが、民間の人は裁判員で、職業の人は裁判官です。であれば「職業裁判員」「民間裁判員」にすればいい。呼び名という形式は重要な意味を持つわけで、名称を内容にふさわしく変更するだけで人々の認識と心理が変わるはずです。

これまでの実態として政策立案を政治が担えず、役所がいわゆるシンクタンクの機能を果たしている。役所が政策を立案して政治家は役人が書いたペーパーを読むだけ。そういう実態になっている。本来は逆。国民が選出した代議士が政権をつくり、政権が政策を立案してそれを担当の役所が具体化して執行する。これが逆になって役所が政策を立案して政治は役所の指揮命令で動いている。こうした日本の統治実態を根本から変えないといけない。

白井　僕は公務員改革に関しては、リクルートシステムを根本的に変えるべきだと考えています。実務経験なしに、上級公務員になることはできない。まずこれを原則とすべきです。

僕は大学という世界にいるわけですが、管轄官庁は文部科学省になります。文科省の役人は基本的に、教育機関で働いた経験がない。これは異様なことです。研究や教育の現場で働いたことのない人間に、なぜ指図されなければならないのか、まったく意味不明なんです。

だから、たとえば文科省の役人になるためには、教育機関や研究機関で一定期間働かないといけない、とする。研究職、教育職、事務職、なんでもいい。とにかく一定期間、教育ないし研究機関で経験を積み、そこで初めて文科省に入省するための資格を得る。そういう方式に、すべての官庁ですするべきだと思いますね。一度は必ず所轄領域の現場に身を置く。そうすれば、植草さんも言われた妙な優越意識はなくなるはずです。そして、絶対に政策が良くなります。現場を知らない奴が頭の中だけでこしらえたアホな政策がなくなります。

植草　ちなみに大学内の教授会は何をやっているんですか。

白井　何もやっていません。２０１４年の学校教育法の改正で、大学の教授会は権限を失っています。この改正で、まず文科省の権限が強くなりました。そして私立大学においては、制度的には理事会が独裁できる。その理事会に対する統制を今、文科省はますます強めようとしている。教授会はあっても、制度的には何の決定権もありません。「これこれ、こういうことになりました」という報告を聞くだけ。

植草　そこまで形骸化《けいがいか》しているわけですか。

日本の経団連企業は昔ながらの体育会系

植草　生産性上昇につながる技術革新をもたらす根源は、優れた人材の確保です。日本の経団連企業のほとんどが基本的に体育会系です。上の命令に絶対服従が基本で、服従する人だけを上に引き上げる。こういう人事を続けてきた企業が圧倒的に多い。

日本の経済成長を牽引《けんいん》した製造業は諸外国のビジネスモデルをそのまま持ち込んだ上で、そこに改良と改善を施して成功を収めてきた。独創的な創造ではなく、勤勉さ、精密さ、工程の正確さが成長の原動力でした。この時代には、体育会系的な、上からの命令に従い一糸乱れず行動する軍隊組織に近い企業が成功を収める。この方式で成長を遂げたという実績はあるのでしょう。

ところが軍隊方式、体育会系の人事登用システムでは、枠から少しはみだすような才能のある人、尖《とが》っているが才能も腕力もある人は弾《はじ》かれる。企業に求められるものが勤勉さや緻密《ちみつ》さではなく、新規の創造に変化すると、こうした企業はどんどん衰退していきます。本当に優秀な人は外に出てしまい、太鼓持ちの社員だけが出世してしまう。それが日本の今の経団連企業の大半になってしまった。

白井　たしかに、そう見えます。

植草　ＩＴの時代に移行して成長の中心が一変してしまいました。世界経済を牽引する最先端分野における日本企業のプレゼンスは低下の一途をたどっています。スマートフォンに代表されるタブレット端末における日本企業のプレゼンスは、ニッチな部分にしか存在しなくなっています。付加価値の集積と言えるソフトウェアの分野でプレゼンスを維持する日本企業は、ほとんどありません。

半導体においても、付加価値の高い最先端分野を担うのは海外企業ばかりで、日本企業が担うのは低付加価値分野でしかなくなってしまっています。アメリカ、中国、台湾、韓国に日本企業は、完全に追い越されてしまいました。情報処理・情報通信の最先端分野で日本が世界をリードする部分は、ほぼ消滅していると言って過言ではありません。

白井　ＩＴの世界で日本はかつてのＮＴＴ：ｉモード（料金プランや住所の変更、各種サービスの申し込みなどの手続きがｉモードから24時間好きなときにできるサービス）のように、一時的に世界的にも最先端のものを作りました。でもその後、何一つないですからね。われわれが日常生活で使うもの、Googleにしろ、YouTubeにしろ、Twitter（現・X）にしろ、ＬＩＮＥにしろ、すべてが外国由来です。

植草　産業構造は常に変化します。日本は円安下での低いドルベース労働コストを武器にして、繊維から始まり、鉄鋼、そして組み立て加工の製造業分野で高度成長を実現し、日本ブランドの価値を高めました。体育会系企業が成長を遂げました。

ところが、技術革新の中心が新規の高度情報処理・情報通信分野に移行すると、成長の源泉が軍隊組織の統制力や均質な労働力ではなく、個人の独創的な能力に移行して日本の産業の衰退が急加速してしまったのです。独創性、多様性、高度な専門性を持つ個人を育てる土壌が、日本にはなかった。それが今、大きな問題を引き起こしていると思います。

白井　日本は、世界に対してプラットフォームを提供するようなものを何一つつくれなかった。多分この産業に、あんまり日本人は向いていないんでしょう。そういう気がします。別に、ＩＴだけが産業というわけではないので、他のところでやるほかないのかもしれません。

植草　それはそうですね。日本の強みを別の形で発揮できればいいと思います。ただ、この問題を突き詰めると教育の問題に行き着くように思います。分配のあり方も大きな問題ですが、教育にこそ根本的な問題があると、私は感じています。

個人の能力の伸長や人格の形成に、教育が深く関わります。成長した個人が示す行動。たとえば現在の日本では、民主主義の根幹とも言える選挙に有権者の半分しか足を運ばない。選挙に足を運ぶ有権者の半分は、自公に投票し続けて日本政治の固定化に尽力しています。

どのような価値観、哲学を持とうと、それは自由です。ただし変革が必要なときには、有権者のすべてが覚醒《かくせい》した意識を持たないと、日本全体の変革は実現しないことになります。国民の覚醒が不足していると感じざるを得ないし、それが教育の問題と深く結びついているように思うのです。

覚醒を促す上で教育が果たす力は、大きいのではないでしょうか。人が育つ過程で教育が与える影響は非常に大きい。教育のあり方によって人材の生まれ方が大きく変化すると思うのです。

白井　教育の問題として捉えたとき、僕も教育機関に勤めていて、いろいろと期待されるのはわかるんです。その上で言うと、学校教育でなんとかできるのかと考えると、正直できないと考えています。

植草さんは「覚醒」とおっしゃいましたが、今の日本には活力がない。元気がない。元気がある、活力がある、尖《とが》っている、そういう人間をどんどん殺す圧力が、どんどん高まっているわけですから。

それは別に学校のせいじゃない。それこそ昔は、尖った人間は多かったわけです。戦後日本の大発展をリードしたような破天荒《はてんこう》な人間が多かった。彼らはいつ生まれて、どんな教育を受けてきたのかを考えると、戦前に生まれて、ゴリゴリの天皇制教育を受けてきた。その時代の学校教育の統制、抑圧的な環境は、ある面では今日の比ではないはずです。

だけど、彼らは人として元気がありました。そう考えると、これは教育がどうのこうのという話ではない。いってみれば社会全体の空気の問題だと感じるんです。

ロスジェネ世代の罪

植草　白井さんは、去年出版した『失われた30年を取り戻す　救国のニッポン改造計画』（ビジネス社、2023年）で、雨宮処凛《あまみやかりん》さん（作家、活動家）と対談をしていました。とても興味深い内容がちりばめられていて、得るところが多かった対談です。

私が社会に出たのが1983年で、90年のバブル崩壊始動までの7年間がまさにバブルの生成からピークの時期でした。90年からの失われた10年、失われた20年、失われた30年は、これと正反する時代。日本は失敗の上に失敗を重ね続けてきたのです。その衰退期に踏みつけられ続けたのがロスジェネ世代（ロスト・ジェネレーション世代、1970年代から80年代半ばに生まれバブル崩壊後の就職難に直面した世代）ですね。

この時代環境の下で苦しみを乗り越える防御策として、冷笑や嘲笑《ちょうしょう》の流儀が編み出されたようにも思いますが、重要なことはこのロスジェネ世代が社会の中核を占有する時期に移行するということです。

しかし、ロスジェネ世代が一枚岩かと言えばそうではない。ロスジェネ世代のなかの分断の問題が大きいと思います。そして、この世代へのマーケティングを意識して成功を収めたのが日本維新の会。「弱い者がさらに弱い者を叩《たた》く図式」で、ロスジェネ世代を吸い上げることに成功した感があります。NHK党（現みんなでつくる党）、参政党、れいわ新選組支持者の中心も、ロスジェネ世代が占めているように思いますが、この世代のこれからの行動が重要な意味を持つことになるのでしょう。

白井　ロスジェネは恩恵を受けてないどころか、どんどんひどくなるばっかりです。日本をどう再建するのか。仮に再建のための真剣な試みがなされるときに、ロスジェネはただのお荷物として切り捨てられると予想します。

この悲惨な境遇について、正直僕は自己責任だと思うところもある。ロスジェネが今までどんな政治的選択をしてきたのか。ロクでもない選択ばかりしてきた。維新の会の支持が一番厚い世代がこの世代です。新自由主義的な価値観を内面化し切った世代だという面がある。だから切り捨てに対して、これまで抵抗をしてこなかった。その意味で自業自得という面があります。

植草　選挙ドットコムが18歳以上の人を対象に、ネット調査を複合させたハイブリッド世論調査を実施しています。電話調査の結果は一般の世論調査結果とほぼ重なり、この回答者の多くが実際に投票所に足を運んでいると考えられるのですが、ネット調査結果が電話調査と著しく異なる。インターネット調査の最大の特徴は「支持政党なし」と、次の衆議院議員選挙での「投票予定先なし」が7割を占めることです。

この7割の人々が、実際に選挙に行かない層なのだと思われます。このネットでの回答者の7割のなかに、ロスジェネ層が多く含まれている気がします。この人々が動き出すと選挙結果は激変する可能性があるのではないでしょうか。

白井　彼らが動けば地殻変動が起きますね。

植草　ここが動けば政治は変わる。そこは大きいんですが、逆に言うと、ここの人たちは今ある状態を放置して何もしない。そのまま耐え忍び、それ以外のところで生きていく。その意味では自業自得というか、自分たちの行動が不毛な現実をもたらしているという側面を否めない。

この本のテーマに関わることですが、日本の主権者が今、問われている。それは自立力と戦略力と突破力。アメリカにすべて支配されている日本でいいのか。現実を変えるとしたらどうすればいいか、という戦略力。そのためには断固たる行動が必要。それが突破力。別の言い方をすれば破壊力。破壊するぐらいのエネルギーがないと何も変わらない。ところが自立力、戦略力、突破力・破壊力がロスジェネ世代からはあまり伝わってきません。

白井 そうなんですよ。ロスジェネの選挙での投票率は低いし、行ってもロクな政党に投票しない。投票率を上げたところで、もっとひどくなる可能性があります。

植草 何もせず現状維持、冬眠したまま。ロスジェネ世代は、就職氷河期に氷河のなかに閉じ込められてきたために、環境を破壊しようというより環境に従属するしかないという、ある種の諦《てい》観《かん》、諦《あきら》めを身につけているようにも見えます。でもそれは国を滅亡させることにつながるのではないですか。

白井 これはロスジェネに限らないことなんですが、問題はもっと日常生活的なところにあるように思います。「ちゃんと喧嘩《けんか》しろ」と言いたい。職場をはじめ、そういう生活、生業《なりわい》の現場できちんと喧嘩していない。日本人全体が全然、戦闘精神が足りない。

植草 労組の組織率が落ちる。労働者の処遇は引き下げられる一方なのに、労働組合に入って組織として闘う選択はしない。労働組合の組織率は低下する一方で、労働者として闘う権利があっても、それを活用することすら諦めている。

白井 大学は特殊な職場で、文科省が次々に降ろしてくるろくでもない案件があるんですよ。文科省の担当者に偉そうに言われても、大学は従順に従うだけ。喧嘩もしない。ロスジェネ世代だけではなく、上の世代はもっと悪い。本当に喧嘩すべきところで喧嘩しない。

植草　私たちの「ガーベラの風＝オールジャパン平和と共生」でも政治問題をテーマにする集会に参加してくれる方の多くは高齢者です（笑）。かつて安保闘争、全共闘で闘った世代の人が熱心に参加されるのですが、若い世代で参加してくれる人は少ない。

闘った経験のある世代のなかに、今なお闘う意志を維持し続ける人がいます。この世代の人の一部は闘ってきたし、少なからぬ人がその意志を絶やさずに現代まで持ち続けています。若い世代のなかに積極的に行動に参加してくれる人が出現しつつあることは大いなる希望ですが、その比率はまだまだ小さなものに留《とど》まっています。

私は学校教育に大きな問題があると感じています。日本の初等・中等教育において、いまだに上意下達《じょういかたつ》、上の命令に素直に従うこと、子どもを育てることより、管理することが学校教育で優先されている。模範解答は一通りしかない教育が行われている。算数の2＋3＝5はいい。しかし、文化系の問題に対する模範解答は常に複数あるはず。とりわけ道徳教育における模範解答など有害でしかない。ものごとを考えるプロセス、他と異なる自分の考えを示すことの大切さを学ぶことが本当は大事なのだと思う。

多くのことがらに解答は複数あって、どのような立場、考え方に立つとどのような結論に至るのか。多様な「模範解答」が同時に存在することを知って、その「模範解答」の違いを比較検討する、解答を導くロジックを確かめることが大切。このような訓練を積み重ねることによって自分のものの考え方、価値観、哲学を形成していくことができる。

同時に、その異なる考え方を、それぞれが堂々と主張して意見を闘わせる思考訓練、意見表明の訓練を繰り返すことが重要。ところが、現実の教育では先生がただ一つの模範解答を示して、それだけを正解としてしまう。生徒は考えることなく、その正解を覚えるだけになる。自分の頭で考えること、そして自分の考えを堂々と述べること。この力を育てる教育が欠落していると思います。

白井　若者が劣化する理由の一つが、子どもの数が少な過ぎることです。内部競争は緩むし、そこでやたらに目は行き届く。今の若い世代は、粗末に扱われた経験がない。そこが全共闘をはじめとする団塊の世代とは違う。

植草　団塊の世代は生存競争が激しかったですからね。

クソろくでもない教育から覚醒させる

植草　私が述べた教育とは、高等教育ではなくて、初等・中等教育を念頭に置いています。たしかに白井さんが言うように、すべてに甘くすることが逆に子どもをスポイルしてしまうという側面はあるのでしょう。

昔のガチガチの軍国主義下から、破天荒な人が生まれているという現実はあります。戦後の日本で各種民主化措置が取られて、国家の運営は大きく改変されました。しかし初等・中等教育の学校現場で、戦前がそのまま引き継がれて大きな変化が起きていないという側面もあります。

白井 起きていないですね。

植草 戦前の軍事教練がそのまま残存している側面が、驚くほど多いのではないでしょうか。初等・中等教育における今の日本の学校教員の基本的役割は、管理と統制になってしまっています。自分の意見を述べること、先生と違う考えを述べることは悪いこと。徹底した管理が基軸に置かれて、上位下達の「起立、礼、着席」を当然とする教育が行われている。この管理と統制に身をゆだねることが、自分の身の安泰をもたらすことを学び取ってしまう子どもが多いのではないでしょうか。こうして自分で行動を引き起こす気運はそがれてしまう。

本人が持つ力を「引き出す」のが、本来の教育の目的。でも日本の教育は、「覚えること」と「従うこと」に重きを置き過ぎている。「考える力」、自ら「発信する力」を育てる面が極めて希薄だと感じます。極端なことを言えば、「起立、礼、着席」はできなくても「考えて発言する」ことができれば、そのほうが良いと見なせる姿勢が大事ではないか。

海外の子どもたちが日本の学校を見ると、びっくりすると聞きます。体育座りも、朝礼もそう。

規律を軽視するわけではありませんが、学校で軍隊の規律を守る必要はない。のびのびと個性と多様性を伸ばす視点を、学校教育に導入することが重要だと思います。

学校に行かない、いわゆる不登校の子どもの教育機会を確保することなどを目的に制定された「教育機会確保法」（正式名称「義務教育の段階における普通教育に相当する教育の機会の確保等に関する法律」、2017年施行）で、学校復帰を大前提とはしない運用が導入されましたが、「学校に行かないこと」を「不登校」、「登校拒否」と表現することは変えるべきでしょう。「登校拒否」が「不登校」に改められても、「不登校」には「非正規」の意味が込められています。コロナ禍で出社する機会が減ったものの、「不出社」「出社拒否」と言わないでしょう。

白井　たしかに（笑）。

植草　「在宅学習」、「リモート学習」、「学校外学習」と呼ぶべきです。憲法が定める教育の義務は、子女に普通教育を受けさせる義務で、子女に学校教育を受けさせる義務ではありません。ところが、学校教育法が普通教育を受ける場を学校に限定してしまったために、学校に行くのが義務という誤った考え方が広がりました。

多くの国で普通教育を受ける場を、学校以外の家庭などに開放しています。学校以外の場における普通教育を受ける機会を制度として整備する必要性が高まっていると思います。この意味で「学校に来ないのは悪」という決めつけを解消することも、大切だと思っています。自宅で仕事をする人を「出社拒否」と呼ばず、「在宅勤務」と表現するように、「在宅学習」、「学校外学習」と表現し、それを正規の普通教育の類型に定める必要があります。

この点を含めて現在の初等・中等教育における管理と統制の側面を是正するべきだと思います。「学校には行かない」選択をする要因の一つにイジメなどがありますが、学校はイジメがあっても、その事実をできるだけ隠して表に出さない行動も示します。小中学校の運営全体について、大きな見直しが必要だと思うのですが、いかがでしょうか。

白井 僕の感覚で言いますと、学校とは本来的に管理・統制の空間でしかありません。「学校は、クソろくでもないもの」と子どもは早く気づくべきです。その「クソろくでもない学校」とそこそこ付き合う。その方法を学ぶ場が学校であり、教育の場じゃないですか。

僕は、不登校や登校拒否もあまり肯定しません。もし自分の子どもがそうなれば、本当に危機的でないかぎりは「学校には行ったほうがええ。ガマンせなアカン。世間はそういうもんやから」と諭します。

今は両極端になってきてしまっています。つまり、親たちは物わかりが良くなってきて、子どもが「学校に行きたくない」と言い出したら、「無理する必要はないよ」とかつてよりも簡単に言うようになったでしょう。「あんなクソろくでもないところに、行く必要なんかないよ」なんて言って。でも、「クソろくでもないもの」と子どもが自分で気づかないといけない。気づいた上で、そこそこで付き合う方法を見つける。それが成長ということじゃないでしょうか。
ところがそうじゃなくて両極端だというのは、クソろくでもないと感じるどころか、学校の規律や訓練、管理と統制に疑いを持たず、反発するどころか100%内面化してしまうという現象も起きている。逆に「もうこれはちょっと辛《つら》過ぎてついて行けん」と、はっきり学校に通わない子どもも大勢いる。順応か逃亡かという安易な二者択一になっている気がするのです。

植草　私の感覚で言うと、「クソろくでもない」と子どもが認識するほうが、健全だと思いますが。子どもの多数派が「学校はクソろくでもない」と感じれば、この国の状況も圧倒的に変わるはず。

白井　覚醒する（笑）。1970年代生まれの僕の世代は、そういう認識が結構当たり前だった気がするんですが。

植草　それが変わってしまった。今の子どもの圧倒的多数は、学校の管理統制、統制の教育に順応して、そこにすっかり染まって、居心地の良さすら感じているように思います。

耐え忍ぶ日本人と為政者の罠

植草　最近は、将来の自分のビジネスプランを小学校低学年ぐらいから書かせるらしいです。それをファイリングして、学校が管理するシステムだと聞きます。
白井　それは私立ですか。
植草　いや公立。
白井　公立で！
植草　しかも、どちらかというと無難なビジネスプランなんです。何を書いてもいいんですが、子どもたちは大それたことを書かず、かなり現実的らしいです。会社員になるとか（笑）。
白井　公務員とか（笑）。
植草　国家が暗い現実に素直に順応できる国民を養成するために、「夢や希望を持たず、地道に自分の身の丈にあったものを書きましょう」という発想を持っているのではないでしょうか。子どもの頃から、大《だい》それた大きな夢を持たせないように誘導する教育が行われているのでしょう。
白井　そうなんですか。僕は子どもが2人いて、上が小学3年生ですが、そういう話は聞きません。でも現実的なプラン、というのはわかる気がします。子どもは影響されやすいんです。幼稚園に通っているときは「幼稚園の先生」、今は「小学校の先生」（苦笑）。それから、「小説家」。明らかに身近な人の影響を受けている。だから世間の雰囲気の影響で、空想的なことを夢見ても仕方がない、と子どもが気づいているのでしょう。「ユーチューバー」とか言うよりも健全ではあるんですけどね。

植草　子どもに対する意識調査で「将来なりたい職業」ってあるじゃないですか。昔は、プロ野球の選手のようにそれなりに夢があるものが選ばれた。今は会社員、公務員が上位に来る。

全体として管理統制に順応する大人が増えました。能登半島で地震が起きましたが、石川県の能登地方は自民党の強いところです。それが原因かどうかわかりませんが、「震災が起こったんだから窮屈で不自由は当たり前。避難所に多くを求めるな」みたいな自己抑制のムードが感じられます。戦前の防空壕《ぼうくうごう》で耐え忍ぶような習性が残っている。受忍《じゅにん》するのが当たり前で、文句を言う人は「あいつは」みたいな扱いを受ける。

白井　「わがままを言っちゃいけない」みたいなムードが如実に強まっていますね。その一方で、妬《ねた》み、嫉《そね》みも凄《すご》い。３１１（２０１１年3月11日、東日本大震災）のときもそれがありました。福島の原発事故で避難を余儀なくされた人たちに、政府か東電から賠償金が出た。大した額じゃない、月に10万円もない。その賠償金が、嫉妬《しっと》の対象になった。福島県内でお金をもらってない人たちは、それだけ原発事故の被害を受けていないはずなのです。それなのに、被害を受けた当事者に対して、「あいつらは金をもらって暮らしている」と陰口を叩く。ひどい話だと正直、思います。

植草　為政者《いせいしゃ》の策略の一つです。弱い者同士で争わせ、問題をうやむやにする。生活保護に対する強い批判は、汗水流して働いているのに所得が少ない人々の嫉妬と妬みの感情を利用して煽動《せんどう》されます。生活保護の不正受給があれば、それこそ徹底的に叩く。為政者は、そうやって争わせる。結果どうなるかというと、「この際、生活保護の水準を思い切って切り下げます」と（苦笑）。そうした流れに誘導していくわけです。

「リバタリアニズム」の定義を考える

植草　リバタリアニズム（完全自由主義）の定義を、白井さんはどうお考えですか。

白井　理念としてのリバタリアニズムと現実のリバタリアニズムがあります。理念としてのリバタリアニズムは結構いい。人の自由を制限し、抑制するようなものは基本的に不当である。各人が自由を大いに追求すべし。そして各人は独立独歩で生きていく。なるほど立派な考えです。

植草　弱肉強食、競争社会といった意味では、リバタリアニズムはある種、輝きを持っていると思います。わかりやすいし、頑張って勝ったら良い結果が出るし、負ければそれで我慢しろみたいな話でしょう。

ただしそれをやると、結果として99％の人は不幸な道を歩む。それを知らずに引き寄せられてしまっているんじゃないかと思います。

白井　理念としてのリバタリアニズムと、現実のリバタリアニズムには乖離《かいり》があると思うのです。金持ちのリバタリアンは、表向きは立派なことを言いながら、現実には国家や資本、国家や大資本の中枢に位置して、あるいはそれを乗っ取ったり、パラサイト（寄生）しながら自己の利益を図る。国家やシステムにズブズブに依存しているくせに、「独立しているんだ」と言っているのが、いわば現実のリバタリアニズム。それが僕の印象ですね。

植草　その代表的な人物は、誰になりますか。

白井　アメリカのジョージ・ブッシュ・ジュニア元大統領ではないかと思う。アメリカでアイン・ランドに影響を受けたと称している金持ちも全員そう。ランドの小説（『水源』『肩をすくめるアトラス』など）は、リバタリアン的信念を持った人間が、国家が邪魔するのを斥《しりぞ》けて成功するという話です。聖書の次に読まれているそうですし、文学としてはともかく思想的にはすごく重要です。植草さんのお考えはどうですか？

植草　白井さんが言う「理念としてのリバタリアニズム」とリバタリアニズムを利用して自己利益を図る「現実のリバタリアニズム」の違いは決定的に重要な点だと思います。

日本でもリバタリアニズムを提唱する勢力が存在します。その実態は「自己利益だけを追求する勢力」であると認識するからです。「リバタリアニズム」は究極の自由主義＝レッセ・フェールの考え方で、人々を魅了する側面をたしかに有すると思います。しかし、現代の時代状況を踏まえてこの立場を評価するさいには、対極となる「リベラリズム」との対比の視点が重要だと捉えています。この視点に立ってリバタリアニズムを解釈すると「超自由主義」という意味合いとして理解できます。

私は資本主義の基本的な原理が、市場原理の不可侵性《ふかしんせい》と私有財産制の神格化にあると捉えます。これを財政運営に当てはめれば、社会保障を行わないということになる。社会保障は、税負担能力の高い者の負担で所得の少ない人への給付を行う図式を含んでおり、国家権力が財産権に介入する側面を持ちます。資本主義の根本原理に当てはめれば、この措置は容認されない。竹中平蔵氏が唱える主張は、これに近いと言えるでしょうね。これがリバタリアニズムの考え方。

これに対してリベラリズムがある。ジョン・ロールズ氏（アメリカの哲学者）が提示した「無知のベール」は白井さんには釈迦《しゃか》に説法《せっぽう》になりますが、自分の生まれる境遇がどうであるかは生まれてみなければわからない。この「無知のベール」を前提にすると、「不平等は、最も不利な立場の人々にとって有利な形で調整されるべきである」との考え方が導かれるとしたのがロールズです。このための調整を政府が担う。それには財源が必要ですから、国家が国家権力を用いて富裕者から強制的に財産を奪って、それを不平等の調整のために活用する。これがリベラリズムの考え方と言えるでしょう。

日本財政の現実を見ると、本来の財政機能である所得再分配とはかけ離れた、単なる無駄遣い、利権支出が巨大なウエイトを占めていることがわかります。グローバルキャピタル、巨大資本への利益供与としての財政支出が激増しているのです。私は政府の財政支出は極端にいえば社会保障に限定するべきだと考えます。

警察、防衛、外交などを除けば、政府支出は社会保障だけでいい。すべての国民に行き渡る財政支出である社会保障を拡充することによって、すべての国民に保障される生活水準が大きく引き上げられる。財政を拡張しなくても財政資金配分を改変することで高福祉国家への移行は可能だと思います。もちろん、これは「リベラリズム」の政治哲学を是とすることを前提とする考え方です。

2020年度から23年度に計上された補正予算での財政支出追加金額は、平均で年間39兆円でした。この補正予算の全額を社会保障拡充に充《あ》てていれば、日本は別の国になっていたと言っても過言ではありません。最低賃金も、生活保護費も、社会保障の給付水準も上がったはずです。

白井　リバタリアンであろうとリベラルであろうと、互助扶助の精神は社会の持続のためには絶対に必要なのですよね。再分配の主体を国家に設定すればリベラルになるし、主体を市民の自発的行為に求めればリバタリアンになるわけです。

アメリカでは、やはりリバタリアン的発想のほうが結局のところ強いのだろうと思います。最近、内田樹《たつる》氏（フランス文学者）が、本で面白いことを書いていた。「ドナルド・トランプは徴兵逃れをしてベトナム戦争に行かなかった。かつてのアメリカなら、そういう人間は絶対に大統領になれなかった」

ところが今は、そうしたアメリカの空気が変わっている。トランプ元大統領の行動は、国家を出し抜いて徴兵を逃れたわけで、これはある意味、アメリカの伝統的な反連邦主義に通じる。その意味で、リバタリアニズムとしては正しい。トランプは戦争に行かなかった卑怯者《ひきょうもの》ではなく、おかしなことをやっていた連邦政府の魔の手をかいくぐった英雄だというふうに受け取られているのだと。そう内田さんが書いていました。

たしかに対外戦争の面から考えると、アメリカはろくなことをやっていない。戦争を遂行する国家としてのアメリカ連邦政府は、国際的に批判されてしかるべき対象です。その状況のなか、トランプは連邦政府を出し抜いたリバタリアンだという見方ができる。たしかに、このようにアメリカ政府を出し抜く人間が多ければ不義の戦争ができなくなるわけで、アメリカの外から見ると悪いことではないとも見えますね。

植草　リバタリアニズムの思想の摑みどころがないというのは、その通りと思います。私は財産権を軸に国家による所得再分配政策に焦点を当てて、リバタリアニズムとリベラリズムを対比させて話をしました。これとは別の次元でリバタリアニズムは、国家と個人の関係について重要な考え方を提示しています。

国家のための個人という側面を全面的に否定し、あくまでも主人公は個人にあるということを強調します。この意味でリバタリアニズムが光を放っている面は強いし、トランプ元大統領が攻撃されるどころかリバタリアンからの賞賛を集めるというのも十分に理解可能です。

白井 今、アメリカではますます「分断」が叫ばれています。リベラル派と保守派は、もうお互いに我慢ならないと感じていて、対話すら不可能になってきたと言われます。思うに、いっそのことブルーステートとレッドステートで分離すればいい。お互い不幸でしかないわけですよ、無理に一緒にいるのは。

これに対する日本の知識人の反応を見ていると本当に奇妙だなと思います。「アメリカがこんなに分断されて悲しい」という論調をよく見かけますが、あれは一体何なのか。アメリカが統一を保とうが分裂しようが、外国人である日本人が感情的に嘆き悲しむべき問題ではない。つまり、観念的にアメリカ人になったつもりなんでしょうね、無意識的に。「誰もお前をアメリカ人と見てないぞ。日本人だぞ」と言いたくなる（笑）。

植草 もしトランプ氏が大統領になれば、アメリカ自身が日本支配を放棄して、日本が自立できるチャンスを得ることになるかもしれませんね。

白井 トランプ大統領で、強制自立になるなら大いに結構なこと。日米関係も白黒がはっきりする。

植草 バイデン大統領に比べれば、多くの問題があるにせよトランプのほうがはるかにマシですね。しかし、アメリカの陰の支配者が存在することは間違いのないことで、陰の支配者の意に反するトランプが大統領になれば、その本尊がどのように動くのかが重大な意味を持つことになる。そこは気をつけなければいけないと思います。

経済政策をどのように刷新する必要があるか、結論を示しておきましょう。3つの方策が必要。第1は、消費税減税を断行すること。消費税を廃止することが望ましいが、第1段階として税率をまずは5%に戻す必要がある。消費税は消費を抑止する効果を持つ。消費の構造的な減少を招けば経済が停滞するのは当たり前のことです。そして消費税は、とりわけ所得の少ない人々の購買力を奪う。所得を消費に回す比率が高い人々の消費を抑制すれば、経済全体の消費も落ちる。その消費税は所得の少ない者に過酷で、所得の多い富裕層に極めて優しい。分配の格差を拡大させる。消費税減税を断行して、富裕層と大企業に適正な税負担を求めるべきだと思います。

第2の方策は、インフレ抑止と自国通貨防衛を政策の基軸に据えること。労働者にとってインフレは害悪でしかありません。インフレを抑止することが、日銀の最大責務であることを確認すべきです（日銀法第2条を参照）。同時に日本円暴落を是正する。円安は、輸出製造業にのみ利益を付与するもの。日本円暴落で日本の優良資産所有権の海外流出が加速しています。今こそ、日本政府が買わされ続けてきた1兆ドルのアメリカ国債を全額市場売却するべきです。

第3の方策は、財政支出の内容を改変すること。日本財政の規模が小さいわけではありません。しかし、巨額の財政資金が無駄遣いされている。政府支出の中身を変えれば財政赤字を膨張《ぼうちょう》させることなく、国民生活を向上させることは十分に可能です。税制では「能力に応じた課税」を基礎に据えて、税負担能力の大きい大企業と富裕層に適正な負担を求めるべきだと思います。歪んだ経済政策のために、圧倒的多数の国民が窮乏《きゅうぼう》生活に追い込まれています。経済政策全体の刷新《さっしん》が求められているのです。

白井　植草さんの考えに賛成です。付け加えるならば、産業の競争力をどう再建するのかが大問題だと思います。話題になったように、企業と自民党・国家権力の癒着《ゆちゃく》がひどくなり、利益誘導によって利潤《りじゅん》をあげることが当然のような状況になってしまいました。それはそれ自体が不正ですが、さらなる害悪として、技術革新によって利潤をあげる必要がなくなるから、長期的な競争力低下をもたらしたと考えられます。つまり、公正さの欠如《けつじょ》が産業競争力に対しても悪影響を及ぼしているのです。

また、近年では「日本の主要産業は中抜きだ」とさえ言われている。中抜きとはようするに、企業や個人間での有利な権力関係を利用して超過利潤を得ることです。だからもちろん、そんなものは本当の「産業」と呼ぶには値しないし、正当化できる利潤ではない。ここでも問題は公正性なのです。公正性が欠如しているから、搾取《さくしゅ》がひどくなり、格差が広がっている。

政権交代によって経済生活における公正性を再建することが、経済力の回復のためにも是が非でも必要だということを強調しておきたいと思います。

Round2 政治を診る！

さらば自民！　なるか政権交代！
政界動脈硬化、その処方箋

能登半島地震と志賀原発の危機

植草　混迷する日本社会の処方箋《しょほうせん》について、政治面から突っ込みましょうか。

白井　処方箋ですか……。難しいですね。今回の能登半島地震（2024年1月1日）の対応を見ても、ひどいですから。

植草　避難所について定めた国際標準（スフィア基準、災害や紛争の被災者に対する人道支援活動のために策定された「人道憲章と人道対応に関する国際的な最低基準」）では、災害時の避難場所の基準は1人あたり3・3平方メートルとか、女性用トイレの数とか、いろいろ決まりがある。日本の内閣府も一応、スフィア基準を念頭に置いた取り組みを掲げている。でも実際はひどい。

白井　阪神・淡路大震災（1995年）にしろ、東日本大震災（2011年）にしろ、熊本地震（2016年）にしろ、大災害が起きたら全力で対応するのは、何党が与党であろうと、全力を尽くすことが常識としてあった。やり方に上手《うま》い・下手はあるでしょうが、時の政府は全力を挙げて救援とその後の支援をやったと思うし、全力を尽くしてきた。ところが今回は……。何か異次元のことが起きている気がします。

植草　今回の能登半島地震に対する、岸田文雄政権（2021年10月〜）の初動の遅れは歴然としています。1月1日の16時10分に2度目の地震（本震）が起きた。岸田総理と馳浩《はせひろし》石川県知事が初めて現地入りしたのは1月14日、2週間も経っている。

白井 岸田さん自身も賀詞交換会とかに出ていた。まったく危機感がない。

植草 道路が寸断され、海路もかなり難しい。そうなると空路しかないので、自衛隊のヘリを総動員して救助隊を当初から大量投入すべきでした。これも非常に遅れました。家屋が倒壊して、救出できる人がされなかった事例が非常に多かったと思います。そのあとの2次避難も十分に進まなかった問題があります。全国ニュース的には、初動対応の遅れ、人員投入の遅れ、2次避難の遅れはあまり指摘されなかった。そこの検証は必要不可欠だと思います。

白井 被災者支援を、本気でやっている姿勢がまったく見えません。陸上自衛隊の空挺団《くうていだん》派遣がなぜ見送られたのか。年明けの1月6日に訓練をやっているにもかかわらずです。道路の復旧についても、土木・建設関係者がSNSで発信して、「おかしいな。なぜ呼ばれないのか」とつぶやいている。根本的に何かがおかしくなっている。ようするにやる気がない。

植草 極めつきが、北陸4県に1人2万円の補助（北陸応援割）を出す。被災地そのものはまったく麻痺《まひ》した状態で、周辺で被害があまりなかった所が公的資金で潤う図式です。

白井 いよいよもって、地方に対する赤裸々《せきらら》な本音が出てきた印象を受けます。「能登のような過疎地は復興させても衰退するだけだからもういい」と。

植草　能登半島が、中山間地を潰《つぶ》し、インフラ公費負担を排除するモデルにされる可能性は十分あります。もうこんなに人口が減っているのに、大都市集中がより加速して、歪《いび》つな姿になっています。日本の国土の利用そのものが。

白井　それを一段と加速させる意図を感じてしまうのです。全国どこでだって大きな災害は起こり得る。今後政府は復興させる所とさせない所を選別してきそうです。

植草　岸田政権の原発再稼働の問題についても、東電がそのまま生き残り、柏崎刈羽《かしわざきかりわ》原発（東京電力柏崎刈羽原子力発電所、新潟県柏崎市・同刈羽郡刈羽村）の再稼働まで視界に入り始めています。志賀《しか》原発（北陸電力志賀原子力発電所、石川県羽咋《はくい》郡志賀町）も、真下に活断層《かつだんそう》が「ある」といわれていたのが、突然「ない」に変わった。ないわけがない。志賀原発の再稼働がスケジュール化され始めたところで、今回の能登半島の巨大地震が起きた。

東大の防災科学技術研究所が、海底の活断層の調査をずっと実施してきているんです。今回の能登半島地震では150キロの連続する活断層の存在があり、それが動いたとされています。知見としてはすでに存在していた。それが隠されて、原発の再稼働が推進されていた。こういう事態に至っても、あまりそこの問題が指摘されないし、議論も出てこない。

白井　ぞっとしますね。震源が志賀原発のそばでしょう。具体的にどの程度始まっていたのかわかりませんが、再稼働へのプロセスにははっきり入っていました。これがもしすでに動いていたら、どうなっていたのか。あるいは、地震が今年の元日に起きたのが不幸中の幸いで、半年後とか1年後とか、再稼働後に地震が起きていたら……。ちょっと想像をしたくない。

植草　小出裕章《こいでひろあき》氏（原子力工学が専門の工学者）が言うには、原発が運転停止して10年経っているので温度、熱エネルギーそのものは1000分の1まで落ちている。稼働中だと、たとえ運転を停止しても、熱が300万キロワットとすると21万キロワットは残る。その溶解熱《ようかいねつ》で、福島原発はメルトダウンした。もし志賀原発が稼働中に地震が起きていたら、主力電源喪失《そうしつ》などを引き起こし、福島と同じことになりかねなかった。

実際に原発事故が起きたとして、住民の避難計画は役に立ちません。近隣の住民が大型バスで「のと里山海道」（能登半島と金沢を直結する自動車専用道路）を使って避難する計画なのに、今回の地震で、あの道路は壊滅的な被害を受けた。屋内退避するにしても、建物が壊れていたら意味がない。珠洲《すず》も、能登も、海側も、山側も、どこも全滅で逃げられない。

白井　どこにも逃げられない。珠洲原発の構想があったという話も背筋を凍らせるものでした。もしその原発が建設され、稼働していたら……。つまり今回の地震のような災害が起きると、避難計画は役に立たないんですよ。

植草　東京大学地震研究所の佐竹健治教授などの調査結果によると、能登半島北部の活断層の一部が東西150キロにわたるエリアで大きく動いた。その活断層（NT2~9）のうち、佐渡に近いNT3、能登半島の西側にあるNT9という2つの活断層だけはまったく動いていない。そこにひずみがたまるので、今後マグニチュード7クラスの地震がNT3とNT9の活断層で起こる可能性が指摘されています。とくにNT9は志賀原発の真横です。ここでもしマグニチュード7クラスが起きると、甚大な影響を受ける。ところがメディアは意図的にNT3のことだけを言っています。（『研究連報』令和6年能登半島地震 https://www.eri.u-tokyo.ac.jp/news/20465/）

白井　311後に再編されて、安全性を厳密に評価する機関となったはずの原子力規制委員会は、すでに機能していません。彼らの言い分は、「われわれが安全性を審査するのは原子炉《げんしろ》そのものだけで、避難経路を考えるのは立地自治体の仕事だ」と、おなじみの構図、「無責任の体系」そのものです。総合的に安全か否かを判断する主体はどこにもいないのです。

全国の多くの原発で福島第一原発並みの事故を想定してみると、住民の避難は不可能ということになり、詰んでしまいます。だから過酷事故が起きたら避難をどうするか、という問題は誰も考えないことにした。これはつまり、もし過酷事故が起きれば、もうお手上げだということです。住民は見捨てるということです。

一にも、二にも、少子化対策

白井　腐敗、堕落が極まって、ここまで来ました。統治《とうち》が崩壊したと言っても過言ではないレベルです。その上で今、何が一番優先されるべき政策目標か。それは少子化対策です。2023年上半期（1〜6月）の新生児の数は約37万人です、劇的な低下で、この20年で半分ぐらいになっている。これほど急激な人口変動、減少にはいかなる社会も耐えることができません。少子化対策をやらないのに年金制度を続けていることは根本的に間違っています。少子化対策をやらないなら、年金はもうすべて廃止すべきだとなるのは、極めてロジカルな結論ですよ。

そうしたなかで、少子化対策を第一の看板に掲げる政党すらないのはどういうことなのでしょう。野党を含めてです。泉房穂《いずみふさほ》氏（弁護士、社会福祉士、元兵庫県明石市長）に注目が集まり、期待が高まる理由もそこにあると思います。一番大事な問題に取り組んできた。

植草　泉さんは直感力がある。国の未来を考えるとき、少子化対策は決定的に重要です。去年出生数が80万人を割っていますが（2023年の出生数は72万7277人。厚生労働省「令和5年人口動態統計月報年計〈概数〉の概況」）、なぜ結婚、出産の話につながらないのか。理由は2つあると思う。一つは経済的な要因がある。日本の中間層が破壊され、非正規化がどんどん進んでいる。そういう状況下で結婚、出産、子育てといった設計がまず描けない。

白井 考えられるわけがない。

植草 そもそも結婚、子育ての必要条件が満たされていない。にもかかわらず、岸田さんが「分配が」とやっているのがＮＩＳＡ（少額投資非課税制度）による資産倍増計画（苦笑）。日本円暴落でドル換算の国民保有資産価値が半減しているのに。そういう意味では何もやってない。

白井 そもそも資産がない人が多いのが問題なのに。

植草 もう一つは、心理的な要因。若い人中心に未来に対して夢も希望も何もない。白井さんと雨宮処凛さんとの対談本『失われた30年を取り戻す』に、ロスジェネの心境として「餓死《がし》か、自殺か、ホームレスか、刑務所か」しか選択肢がないとありました。そうなると最後は破壊活動に行くしかないが、破壊へのエネルギーすらない。

白井 他方で、自傷行為は増えています。攻撃的なエネルギーが自分にしか向かない。

植草 その部分の将来に向けてのビジョン、「こういう世界になる」というものを人々に提示できなければ、この国は消滅しかない。守備本能、学習本能、伝達本能などはあるのですが、今の若人には攻撃本能が消えている。人から支配され、それをそのまま容認してしまう。自立心がなくなっています。

何か物事を変えるためには戦略的に行動しないといけない。自分でものを考えて、自分で解《かい》を見出《みいだ》すような訓練がないといけない。現実を分析して、自ら思考し、解を出す作業をしないと突破口が見えてこない。そうなると生きる根源のエネルギーである闘争心も失われていく。もはや家畜状態、負け犬根性の奴隷になってしまう危険なところにまで追い詰められているように思います。

白井　このままだと落ちるところまで落ちるほかないのに、どこで底を打つかというのが見えないぐらいひどい状況です。私たちの日常生活のレベルで、明らかに問題が出てこないかぎりわからないのか、という話なんです。たとえば、路線バスが次々廃止される、電車の本数も少なくなり、小包も届かない。理由は労働力不足です。そうなったとき、国家運営の根幹的《こんかんてき》な失敗が誰の目にも明らかになってくる。僕の目から見れば、すでに十分落ちるところまで落ちている。それでも目が覚めないのは、人間の内的な劣化のためでしょう。

植草　何らかの変化が起きて人々が覚醒《かくせい》し、ものを考え始める、そのきっかけが必要です。若い人たちが未来に希望を持てること、明るい気持ちを持てること、日々を幸せに生きていけることが重要です。そこに誘導する何らかの起爆装置を作らないと、日本はこのまま終焉《しゅうえん》するしかない。そこに確実に近づいてきている気がします。

超低空飛行、墜落寸前の岸田号

植草　東日本大震災を題材にした『朝日のあたる家』（太田隆文監督・脚本、2013年）という映画があります。静岡で原発事故がふたたび起きる物語で、主人公の女の子は被曝《ひばく》して健康を害していく。母親に向かって「お母さん、幸せって何なんだろう」と投げかけるシーンは、心に残りました。何げない地域社会で家族のなかでぬくもりがあり、つながりがあり、未来がある。そこに何気ない日常がある。それが幸せだというメッセージがある。

白井　そのメッセージはさらに、そうした日常の幸福を保つためには、不断の努力が必要なのだ、ということなのだと思います。不断の努力とは、不正に対して声を上げ、政府や政党を監視して、まともな政治をやらせる努力です。それが不在ならば、権力者たちはあっという間にやすやすと不正を働くようになる。こうして腐敗した社会が立ち現れました。

ともかくも劣化する日本の政治とジリ貧の経済を、なんとかしないといけない。政治、経済、国際情勢、社会、今の日本は4つとも、全部行き詰まりました。そのための処方箋はどこにあるのか。最低限でも政権交代が必要なのに、それさえも具体像が全然見えてきません。

岸田政権の支持率の低さは、かつての森喜朗《もりよしろう》政権（2000年4月〜01年4月）、麻生太郎政権（2

008年9月〜09年9月）の水準に近づきつつあります。森政権時には小泉純一郎氏（元総理、当時・清和政策研究会［森派］会長）が登場して「自民党を壊す」と絶叫し、自民党の野党転落を救ったわけです。麻生政権の場合は、民主党に政権を奪取された。しかし、民主党はわずか3年と少しで見限られた。

岸田さんが辞めるなり、辞めさせられたりしたところで、誰が取って代わるのか。それが一向に見えない。だからこそ、これだけ岸田政権が地盤沈下しているにもかかわらず、これを倒そうという動きがあまり表面化してこない。ここに答えのなさが表れていますね。

植草　今の超低空飛行の岸田内閣を支えている大黒柱は野党だと思う（苦笑）。自民党の支持率と内閣支持率を足しても5割を完全に切っています。各社の世論調査結果にばらつきはありますが、毎日や時事通信社が発表している数字は10％台、これは歴代政権の中でも最低水準です。

2006年の第1次安倍内閣（2006年9月〜07年9月）以降、内閣支持率が大手世論調査で3割を切った政権は10カ月以内に例外なく消滅している。一つもこれは例外がない。岸田内閣は一昨年の9月から3割を割り込んでいた。去年中には政権が終わってもおかしくないような状況だったのに、逆に延命している。岸田さんの表情を見ていると、まだまだやり続ける気持ちを持っているのだという不気味な情報もあります。

白井　佐藤優《まさる》氏（作家、元外交官）いわく「岸田政権は深海魚政権だ」。普通の魚だったら、水圧で潰れるところが潰れない。そういう特殊な生体の構造を持っているから、岸田政権は生き延びられる。こんなに支持率が下がって、指導力もないのに生き延びられてしまう。不思議な深海魚みたいな政権です。

植草　岸田さんは、安倍さん、菅《すが》（義偉）さんの印象が非常に悪かったので、なんとなく人当たりがいい好感度だけで持っていた。2022年7月10日に参議院選があって、その2日前に安倍さんが撃たれる。突然国葬（9月27日、日本武道館）を決めたところから支持率の急落が始まり、さらに2022年末には、岸田さんが突然重大政策方針を打ち出した。彼が提示したのは、防衛費の倍増、原発の全面稼働推進、大型増税の検討でした。旧統一教会の問題が表面化したにもかかわらず、のらりくらりの対応が続き、政権は末期症状を示したわけです。

2023年5月に「G7広島サミット」（5月19～21日）が開催され、お祭り気分で支持率が一定の上昇を示した。解散総選挙を打つとすれば、ここが唯一のチャンスでしたが、やるそぶりを見せただけでした。

麻生内閣が潰れた2009年との最大の違いは、野党第一党の民主党（当時）の支持率がどんどん上がっていったこと。選挙があれば政権交代との空気がありました。実際に2009年8月の総選挙では投票率が69・28％に上昇し、民主党が308議席を獲得し、自民党は119議席まで減らした。堂々の政権交代が実現したのです。

白井　そもそも小泉政権が事実上の政権交代だったともいえます。というのは、彼が新自由主義の導入によって「ぶっ壊した」のは、自民党の再分配重視の路線でした。自民党は伝統的に、農村と財界という利益が相反する支持基盤を持っていたわけです。そこで都会の先進産業が稼いだ金を地方に分配するという形で、両者の支持を得てきました。

言うなれば、これが戦後日本的な社会民主主義だったわけです。この構図を象徴するキャラクターが元総理の田中角栄《かくえい》でした。小泉元総理が壊したのは、この仕組みですね。ぶっ壊すべき自民党とはつまり、田中派的なものだった。現にこれ以降、田中派の流れをくむ系譜から総理大臣は1人も出ていない。その意味で、小泉政権は不可逆的な権力構造の変化をもたらしたと言えます。

しかし疑似政権交代、あるいは本物の政権交代をやってみたところで結局、この30年、大多数の国民の暮らし向きが悪くなり続けるという傾向は変わらないままです。そうなると、ひどい諦《あきら》め沈滞のムードが漂って、岸田さんはひどいけれども「誰がやってもどうしようもない」という感じになり、支持率が下がったまんまゾンビのように生きている状態になっている。

植草　岸田内閣と肩を並べるように立憲民主党の支持も低いし、期待感がない。場合によっては岸田内閣が解散総選挙に踏み込めば、野党も支持を集めないし、選挙協力体制も整っていない。結局は自公が各選挙区で候補者を1人に絞り込めば、相対的な票数で自民党が過半数を維持する可能性も出てくる。その意味ではまったく展望が開けない閉塞《へいそく》状態だと思います。

白井　岸田さん側から見ると、権力を維持するために総裁選よりも前に解散総選挙をやりたいですよね。しかし与党内では、「こんなに低支持率のときに選挙をやられてはたまらない」と議員たちは考えるわけで、総裁選で選挙の顔にできる候補を立てようということになる。総裁選の前に総選挙だと考える岸田と、そうはさせないぞという勢力との力関係で、今後の政治日程は決まってくるのでしょう。悲しむべきことに、政策論争など何もなく権力維持と議席の維持だけを欲しているクズ政治屋どもの綱引きが、権力闘争の中核になってしまっているのです。

これほど頽廃《たいはい》した権力をなぜ倒せないのか。どうしたら倒せるのか。多くの人は「立憲民主党がもっとしっかりしろ」「立憲民主党が共産党ともっと緊密に協力して」といった方向性で考えてきたと思う。しかしこの間、見ていて、僕は無理だろうと思ってしまうのです。

植草　〝岸田深海魚政権〟を支えている主力エンジンは、立憲民主党ではないか（苦笑）。

白井　はい。この間、立憲民主党が共産党ほかの野党に対してとってきた態度は、度《ど》し難《がた》いものです。選挙協力と言いながら、ほぼ一方的に他党に立候補者を取り下げさせただけ。そうして共産党から票をもらうことを期待しながら、共産党と協力していると見られたくはないという。それでちょっと選挙に勝つと調子に乗って、今度は共産党との協力関係などいらないと言い出す。この間、自民党の裏金問題発覚によって立憲民主党に票が流れるようになったのも、「しんぶん赤旗」と上脇博之《かみわきひろし》神戸大学教授らの告訴のおかげで、立憲民主党は何の役にも立っていないのにね。

こういうわけで、立憲民主党に熱い支持が集まることなど、到底あり得そうにないのです。ですから、とにかく非自民の一点で、呉越同舟《ごえつどうしゅう》でいいから緊急事態内閣をつくるほかないのではないか。その緊急事態内閣のやることはただ一つ、自民党を粛正《しゅくせい》することだけです。自民党に対峙《たいじ》するためにそれ以外の全部の党、公明党まで入れてもいい。とにかく非自民一点で共闘する政権を作る。

そして、この10年間の自民党政権下で起こった犯罪行為をすべて暴露し、調べ上げ、責任を問う。これをやればもう自民党そのものが消滅します。そういった政権を作るのが最善だと思います。自民党を消滅に追い込んだところで、改めてイデオロギー、政策面で競争すればいい。

植草　さる4月28日の衆院補選では自民が3戦全敗、立憲が3戦全勝になりました。自民が唯一公認候補を擁立《ようりつ》した保守王国の島根1区でも自民党は大惨敗した。岸田首相は選挙戦最終日に無理やり現地入りした。この現地入りで得票がさらに減ったと言われています。東京15区は候補者乱立選挙になり、自民・都民ファースト・公明が相乗りしようとした乙武洋匡《おとたけひろただ》氏が5位に沈んだ。選挙結果と総括すると3つの論点が浮かび上がる。

第1は、自民党の裏金脱税疑惑事件が重大視されていること。消費税で1円までむしり取られるのに自民党は500万円まで無罪放免。ゆるゆるの党内処分と完全骨抜きの政治資金規正法改正案に、一般の自民党員まで怒り心頭に発している。

第2は、小池百合子氏の都民ファーストが完全に失速したこと。小池氏が支援した目黒区長選でも都民ファーストが落選。小池氏の学歴詐称疑惑が再燃して、都知事選（2024年7月投開票予定）にも黄信号が灯《とも》りました。

第3は、立憲と共産の共闘で3戦全勝を果たしたこと。連合の芳野友子《よしのともこ》会長は共産党との共闘を猛攻撃しましたが、共闘が3勝をもたらした。問題は共産党との共闘を指定してきた泉健太執行部が、過去の誤りを認めるのかどうか。立憲が明確な人事刷新を含めて路線転換を明確にしなければ、補選勝利はあだ花に終わる可能性があります。

白井　この間の選挙結果（補選や首長選）を見るに、国民の自民党への嫌悪感は本物になってきています。その意味で政権交代はかなり現実的になってきました。岸田首相は気が狂わない限り解散できません。だから解散できないまま9月の総裁選を迎えざるを得ない。自民党の議員の自分の議席への執念は凄《すさ》まじい。この執念が健在ならば、9月に総裁交代、石破茂《いしばしげる》総理誕生になると思うのです。疑似政権交代によって人気回復を図るというあのお家芸です。

石破さんは、言ってみれば、どの陣営から見ても危険牌《ぱい》ですね。綱紀粛正《こうきしゅくせい》（政治のあり方、政治家や役人の態度を正すこと）を図って、安倍政権以来出鱈目《でたらめ》になった公正性を再建してくれるのではないか、という期待は高まる。他方で、石破さんは日米安保体制を正真正銘《しょうしんしょうめい》の軍事同盟にせよ、という論者でもある。この持論を、今の状況でまっすぐに追求したらどうなるか。思うに、結局は対等な同盟なんかにはならず、対中リスクを高めることになるのではないか。また、悲観的なことを言えば、綱紀粛正も現状の権力配置では難しいと思います。

なぜなら、石破さんが首相になれるとすれば、それは自民党の長老たちや菅義偉《すがよしひで》元総理の支援を受けてのことになるでしょう。そのような形で総理総裁になったとして、自民党の膿《うみ》を出し切ることなどできるでしょうか。到底無理ではないかと思わざるを得ない。

ですから、石破さんがやりたいことをやるには、総理になった上で、自分を総理に押し上げた人々を叩き斬《き》る。そのために自ら自民党を解体して政界再編を仕掛ける、くらいのことをしなければならないはずです。

東電処理を見誤った民主党政権

植草 日本の政治を立て直す方法については、悩ましい部分がある。2010年に『日本の独立』（飛鳥新社）を書き、鳩山由紀夫内閣（2009年9月~10年6月）の誕生と崩壊に光を当てて、私なりの見方を示しました。

そのときから持ち続けている一つの問題意識は、民主党以来の「水と油の同居問題」です。民主党は民進党、希望の党になり、その後、国民民主と立憲民主に分裂した。この政治勢力には、2つの勢力が同居している。対米従属で極めて自民党に近い勢力。そこから離れた革新勢力に近い勢力。この異なる勢力が同居していた。この同居自体が、2009年の政権を内部崩壊させた大きな要因になったと思う。

白井　同感です。当時の民主党の主力は、いわば第2自民党というか、自民党に入りそこなった人たちでしかありませんでした。鳩山・小沢体制は、この勢力を抱き込んだまま、政権交代の成果を見せなければならないという難しい状況に置かれました。

植草　隠れ自公的な存在が鳩山内閣のなかに潜伏していた。その勢力が、象徴的にいえば沖縄の普天間《ふてんま》基地の県外国外移設方針を壊していった。それで鳩山内閣が潰れた。この問題があるのでこの民主党以来の勢力の水と油を分離することが必要です。集団的自衛権を含む安全保障政策、原発政策、そして市場原理に基づく経済政策運営、消費税の是非。基本政策を軸に水と油の分離を図るべきです。

白井　はい、沖縄の問題と経済運営で矛盾が露《あら》わになりましたね。普天間基地の移設問題で鳩山さんが追い込まれていったとき、閣僚の誰も助けるために全力を尽くす感じではありませんでした。彼らの本音は、「面倒臭いことは止めてくれ」という感じだったのではないでしょうか。どれほど重大な問題が提起されたのか、理解しようともしていなかったのです。そこに彼らの本質が表れています。

新自由主義からの軌道修正、脱却も中途半端でした。「国民の生活が第一」というスローガンを全《まっと》うできなかった。結局、2009年からの民主党政権の罪は大きいですよ。消費税増税もそう。民主党政権、鳩山さんが退陣してから、財務省の軍門に下っていったわけです。

外交では外務省、内政では財務省、つまりは既存の官僚機構の権力に打ち倒されてしまった。

植草　民主党は「天下りを根絶しない限り消費税の増税を認めない」と言っていた。それが2010年6月にひっくりかえった。6月17日に参議院選挙の公約発表会見を行い、そこで突然、消費税10%増税を打ち出した。菅（直人）さんは、鳩山さんがなぜ潰されたのかを横で見ていた。それは、アメリカにものを言い、消費税増税を封印したから潰された。そこで、すべての政策を全面転換したのです。大企業からの企業団体献金の禁止も、小沢一郎代表が2009年4月に明示した。菅さんはその公約も引っ込めた。菅直人時代には、消費税ともう一つ、大きな問題が起きた。

白井　311と原発事故ですね。あの状況下で自民党よりは良い対処をしたとは思います。けれども中長期的対処の面では、全然ダメです。まず事故そのものの処理として、溶け落ちた核燃料を取り出して廃炉するという実現不可能な処理を決めてしまったのは民主党政権です。石棺《せっかん》（オブジェクト・シェルター）にするしかないはずです。そして責任追及の問題です。東電をどうするか、これが大問題だったはずなのです。

植草　当時の原子力損害の賠償に関する法律では、電力事業者が無限責任を負う（同法第3条）ので東電が損害賠償責任を負う。しかし、賠償額が巨大で賠償できない。東電は債務超過に陥るため当然、法的整理が必要となる。ところが民主党政権は東電を法的整理せず、株主責任、銀行の融資責任を放免した。法的整理を行うと、第１に株主責任が問われて株の価値がゼロになる。第２に融資責任が問われる。東電に融資した金融機関が、貸付資金の損金処理を行うことになる。３１１発生時の東電のメインバンクは日本政策投資銀行でした。

ところが、事故発生直後に急遽《きゅうきょ》、短期の資金繰りの名目で、三井住友銀行が東電への緊急融資を行った。この結果、見かけ上、緊急融資を行った三井住友がメインバンクに躍り出た。財務省は東電メインバンクの日本政策投資銀行を隠したのです。東電を法的整理しなかった最大理由は日本政策投資銀行の保護。財務省最重要天下り機関を財務省が守った。そのことを見えなくするために三井住友をメインバンクに見せかける小細工を施した。

東電を法的整理すると株主責任が問われるだけでなく、金融機関の融資責任が問われる。日本政策投資銀行が巨大損失に直面することになる。政策投資銀行破綻《はたん》も否定できなくなる。財務省は最重要天下り先を温存するために、東電の法的整理を排除する違法措置を強行した。原賠法には「損害が異常に巨大な天災地変又は社会的動乱によって生じたものであるときは、この限りでない」との免責条件が記載されているが、巨大地震も大津波も歴史的に繰り返し発生してきたものであり、「異常に巨大な天災地変」とは言えない。結局、東電は温存され、株主責任も融資責任も問われぬまま現在に至っています。

白井　それはつまり、法治国家として自殺したことにもなります。それやったのは菅直人元総理であり、仙谷由人元官房長官です。

植草　東電の処理においては当然、法的整理を実行し、東電経営陣の経営責任を問うべきでした。同時に株主責任、融資責任を問う。さらに従業員の責任を問う。しかし、株主責任や融資責任は一切問われず、「東電の従業員が給料をもらうのか」「ボーナスやるな」みたいな話ばかりだった。従業員の責任の前に、株主責任と貸し手責任がありますが、そのすべてが封印された。これを主導したのは財務省です。

白井　ここでもまた役人、財務省なんですね、ガンは。東電の処理は、象徴的な次元で巨大な意味があったのです。あれだけのことをやってしまった会社が誰の刑事責任も問われず、看板も掛け替えずに存続している。

逆に言えば、あれだけのことを仕出かしても、巨大既得権益《きとくけんえき》の握り手であれば免罪されるとなったわけです。この事実は、昭和天皇が戦争責任を問われなかったことに匹敵《ひってき》するインパクトです。人間の倫理、社会の根幹を揺るがすものです。

たしかに責任の取り方は簡単ではないですよ。どこの銀行がいくら被《かぶ》るのか、いろいろと背後の事情があることは理解できる。でもね、そんなことははっきり言ってどうでもいい。社会全体に与える影響という観点からは、どうでもいい。きちんとあの会社、東電を潰さなければならなかった。そうしなければ、筋の通らない社会になる。

たとえ形式上、東電が生き残るにしても、それは賠償を負うための会社法人として存続する。それならまだわかる。でも、それをやらなかった。菅、仙谷両氏の責任は重大なものです。彼らは、東電の処理の問題が持つ意味、そこで筋を通さないことが持つ巨大な悪影響に対して視野が及ばないような器でしかなかったのです。だから、彼らは財務省に屈服したわけです。

植草　民主党政権とひと口で言いますが、鳩山由紀夫内閣とその後の菅直人内閣（2010年6月~11年9月）、野田佳彦《よしひこ》内閣（2011年9月~12年12月）はまったく違う。鳩山さんの政策が潰されたのを横で見ていて、菅さんはすべての政策路線を全面転換した。面従腹背《めんじゅうふくはい》は菅さんだけでなかった。多数の「メンバー」が面従腹背組だった。

たとえば前原誠司《まえはらせいじ》氏、長島昭久氏、ジョン・ルース大使、カート・キャンベル国務次官補との会談内容をウィキリークス（WikiLeaks、アメリカの内部告発サイト）がすべて暴露している。前原氏が沖縄の辺野古《へのこ》への基地移設がうまくいかない場合には、ゴールデンウィーク明けに社民党と国民新党を切って連立の組み替えをやると２００９年の段階で喋《しゃべ》っている。民主党政権のなかのとくに辺野古移転問題に関わる平野博文氏、北澤俊美《きたざわとしみ》氏、岡田克也氏、前原誠司氏、これらが全部そちら側についていることが証明されている。

白井　そんな連中がまだ代議士をやっている。本当に終わっていますよ。しかも岡田氏らは、拡大した立憲民主党で主流派の地位に収まった。だから立憲民主党には、本質的な次元ではまったく何の期待もできない。

植草　アメリカの言う通り、辺野古移設を容認し、企業献金の禁止も全部消えた。天下り禁止の話も消えた。さらには消費税増税に突き進み、野田さんはそれを押し通して２０１２年12月に選挙に臨み、大敗北する。この選挙がなぜ12月だったのか。年明けの1月になると、小沢新党に巨大な政党交付金が入るからだったのです。

白井　小沢新党には50人いましたから、結構な額が入りそうだったわけですね。

植草　1月1日を過ぎると、その巨大な資金が小沢新党のもとに入ることが確定する。それを阻止するため、年内選挙を断行した。一番の目的は小沢新党潰し。あの選挙は「自爆テロ解散」と呼ばれましたが、自爆テロは相手にもダメージを与える。あれは相手にダメージを与えない、単純な自爆解散でした。

白井　結局のところ、野田さんと安倍さんはグルだったといってもいい。安倍自民党に大政奉還《たいせいほうかん》したわけです。ほんと、クズすぎる。

植草　2009年の政権交代の意義が消えた。その後、民主党政権のイメージは……。

白井　完全に地に落ちた。当たり前です。そもそも武器輸出三原則の緩和とか、集団的自衛権の行使容認とか、安倍政権の悪政といわれてきた政策は、野田政権時にすでに着手されていましたからね。与党内の反対が強くてできませんでしたが、野田さんはやりたかった。つまり、安倍さんと野田さんに本質的差異などない。「野田佳彦」にウヨクっぽいふりかけを掛けてやると、「安倍晋三」になるわけです。

「希望の党」騒動が生んだもの

植草　民主党政権の大罪はひとまずおいて、今後の政界再編について話しましょう。

白井　はい、難しいところではありますが。

植草　たとえば立憲民主を分離すれば、その一部の勢力と共産党、社民党、れいわ新選組（2019年結党、山本太郎代表）と大きく連帯できます。この政策を基軸に新しい政治勢力を作る。この部分は潜在的には有権者全体の25%ぐらいの支持を集め得《う》るものを持っている。投票率が5割下がったとして、自公と大体互角に戦える。こういう政策を基軸にした「政策連合」が必要です。

2017年に「希望の党」騒動がありました。安倍内閣を終わらせるファーストステップとして、右も左も関係なく、自民ジエンド（政権交代）で共闘した。あの動きには意義があり、実現の可能性もありました。

白井　ところが党が割れた（2018年2月解党）。

植草　集団的自衛権について賛成か反対かで踏み絵を踏ませて、立憲民主党と国民民主党に割れた。これは「大同団結《だいどうだんけつ》」を全面否定するもので、これが発覚したとたんに「希望の党」は「失望の党」に転落した。その結果、リベラル勢力としての立憲民主は共産党の選挙協力などを受け、大いに躍進していく。そのまま立憲民主、共産、社民、れいわと合わさって選挙協力をやれば新しい政権交代の道筋ができ始める。

白井　まず希望の党騒動ですが、小池百合子氏の本質がよく表れていました。あの人に何の思想もありませんし、ただサイコパス的に野心が強いだけの人です。ですから、日米安保体制に基づく異常な対米従属体制を変えようなどという信念は1ミリもない。

原発についても、一時はずいぶん脱原発的な方向性を出していましたが、これまた信念などないので、推進の国策が盛り返してくれば、当然それに追随する。だから仮にあのとき分裂に至らず、希望の党が政権を取ったとしても、第2自民党による政権になったに違いないのです。

その意味で分裂は必然でした。そこで枝野幸男《えだのゆきお》氏が旗揚げをしたわけです。

植草　これに危機感を感じたのはアメリカで、連合を嚙《か》ませて、連合に野党分断の工作をやらせた。その結果、立憲民主が半分転んだ。今は立憲民主、国民民主ともに混沌《こんとん》とした状況になってしまっている。

白井　枝野氏は、立憲民主党を立ち上げたときには、一皮むけたというか、民主党政権の挫折《ざせつ》と変節の経緯を振り返って、自民党支配に対する根本的なオルタナティブ（非既存、反主流）を出そうと決意したのかな、と僕は思ったのです。しかし、その後の彼の振る舞いを見ていると、そのような変身は全然ありません。民主党政権の失敗についても、「あれは、鳩山と小沢がヘタを打ったんだ、あいつらが悪いんだ」くらいの認識しか持っていないのでしょう。ようするに、枝野氏も自民党がお似合いなのです。

植草　革新勢力的なものは、選挙を追うごとに実は票数を減らしている。維新みたいのが逆に増えてきている。自公プラス維新、隠れ自公みたいのが拡大している状況なので、ここで政策連合的な形で政権交代は、現実性が非常に乏しくなってしまった。その現実を踏まえれば、もう一度、2017年方式でとにかく今の政治を終わらせる意味で、政権終焉連合をつくるのはあり得る。

白井　はっきり言うと有権者が悪い。国政選挙が自民党への信仰表明の場でしかない有権者が、山ほどいる現実がある。これだけの腐敗と統治不全が明らかになりながら、この体《てい》たらくです。

岸田政権の支持率が20％そこそこですが、ここからは下がらない。まだ5人に1人も支持しているのです。有権者の自民党支持は根拠のある行為じゃなくて、ただの信仰です。選挙があったら自民党に入れるものだと習慣的、惰性的《だせい》にやっている。口を揃《そろ》えて「野党に任せても頼りにならない」としか言わない。今や誰が担当したって、自民党よりましですよ。極端なことを言えば、全部官僚機構におんぶでだっこでも体裁は保てるのだから、今の閣僚どもを見ればわかるように、誰だって政権なんか担当できますから。

植草 政治をつかさどる人間は、理想主義者であるべきです。思想哲学はいろいろあっていい。政党の乱立、対立があってもいい。しかし現実に政治を志す人は、ほとんどが欲得至上主義者。今だけ、金だけ、自分だけ。これが日本の政治を根本から悪くしている。

その源流をたどると、欲得至上主義の人を選んでいるのは国民です。自民党などが築いてきた利権財政構造の末端の末端に何か関わる人が、必ず自公に入れる。欲得至上主義に基づいて票を入れている。有権者も政治家も欲得至上主義だと、欲得至上主義の政治しか行われません。

白井 政治家が半分以上代わるくらいのムーブメントが起き、国民世論が沸騰《ふっとう》しないと根本的には動かない。それが現状、なかなか難しい状況です。

植草 全有権者のうち投票に行っているのが半分。そのうち半分が自公に入れている。私はここを「欲得主義者ゾーン」と考えます。残りの半分は、反自公なのでいわゆる理想主義、改革主義。残りの5割が選挙に行かない人。最近は25対25の部分が切り崩され、30対20ぐらいになっている。

それだけ隠れ自公というべき維新、国民民主などが膨らんでいる。改革主義の中心にいた立憲民主党が連合に屈服し、骨抜きになってしまった影響は大きいです。

一番期待できるのは残りの50。この人たちが敗北主義ではなく、希望を持って自分たちで動いたら、政治は変わる。その潜在力はあるはずです。

白井　２００９年のときは一瞬ですが、それに近いことが起きました。

植草　10人くらいで束になり、理想主義新党を立ち上げる。金儲《かねもう》けのための政治ではなく、日本の仕組みを変えるための メッセージを出す。そういう新党が生まれたら、状況が激変する。そこに期待したい。

「政治資金規正法」は政界の番外地

白井　維新の会は、大阪では勝つ。他の場所でどうかという問題ですね。最悪の想定もしなければならないのですが、今後の展開次第では、自民党を引きずり降ろすためには、維新も含めた野党連立政権をつくらなければならなくなるかもしれません。馬場伸幸《ばばのぶゆき》氏（日本維新の会代表）を首相にすればいい（笑）。どうせスキャンダルがあるでしょうから、首相になったところでそれを弾《はじ》けさせればお払い箱にできる。

植草 それを先に言っちゃうと警戒しちゃう（笑）。

白井 こういうトリッキーなことを考えなければならないのも、有権者の投票行動が異様だからです。小池百合子氏の都ファ（都民ファースト）にしても、維新の会にしても、自民党の別働隊《べつどうたい》なのは一目瞭然《いちもくりょうぜん》です。来歴を見れば、ますますそれは明らかだ。

詐欺師《さぎし》たちは、詐欺被害者の名簿を持っていると言われます。詐欺に遭った人は、用心深くなるのではなくて2度、3度と被害に遭う可能性が高いからだと。自民党支持をやめて維新や小池氏を支持するようになる人たちを見ると、詐欺師たちは正しいんだなあと得心《とくしん》します。ようするに彼らは、自民党を信仰しているのです。だから自民党を見限っても別の自民党に入れる。

植草 Ｒｏｕｎｄ1でアベノミクスの成長戦略で5つと言いました。一次産業（農業）の自由化、医療の自由化、労働規制の自由化、法人税の減税、経済特区の創設と民営化がありましたが、実は特区や民営化はリバタリアン的な政策に見えても、実態は新しい利権セッションです。先ほど白井さんが述べたリバタリアニズムに乗って自己利益を追求する悪徳勢力としての「現実のリバタリアニズム」と完全にダブります。

維新の会は市場経済や自由主義を掲げる一方で、新種の民営化利権、特区利権を徹底追求している。市場原理主義を掲げて社会保障をなくす方向性を示すのが一つの柱。もう一つの柱が「新しい利権」である民営化、特区など。これらの新種利権への嗅覚《きゅうかく》はことさらに強い。ＩＲ（投資家向けの広報）や大阪万博なども新種利権の範疇《はんちゅう》に含まれますね。

リバタリアニズムと新種利権は、本来は離反すべきものなのに、「現実のリバタリアニズム」では両者が融合する。維新路線、言い方を変えれば竹中平蔵路線は民営化・特区利権路線で全面的に重なり合うと言って良いでしょう。この維新勢力がロスジェネ世代のマーケティングに成功して関西中心に支持を集め、議席を増やす動きを強めてきました。

白井 維新は万博の問題もあって失速してきている面もあるものの、京都市長選挙（2024年2月4日）の経緯を見ても、やはり関西全域で伸びてきているのも事実です。この選挙で3位に終わった村山祥栄《しょうえい》氏は、維新系の地域政党「京都党」を率いています。その村山氏の架空パーティーのスキャンダルを共産党系メディアの「京都民報」がすっぱ抜き、維新も国民民主党を離党した前原誠司氏も支援を取り下げた。

こうして結果的には3位に沈んだわけですが、地元の自民党などがやった情勢調査では、告示直前まで村山氏が優勢で、松井孝治《こうじ》氏（現京都市長、元民主党参議院議員、内閣官房副長官）の支持を上回っていた。あのスキャンダルが出なければ、村山市長になった可能性が高い。

最終投票率は、前回とほぼ同じの40％台（41・67％）です。この投票率の低さは、村山氏に入れようと思った人たちがやる気を失って投票に行かなかったとの分析が成り立つ。他方、共産党から今回は推薦ではなく支援を受けた福山和人《かずひと》氏（弁護士、元京都弁護士会副会長）は、追い風が吹いていたにもかかわらず得票が伸びず、京都の共産党の集票力の限界が見えた感じがありました。
ともかく僕が驚くのは、これほどまでに維新的なるものが強いのかということです。

植草　限られた選択肢のなかで何か変える必要があるとすれば、選挙結果での足し算で過半数になるなら、維新に飴《あめ》をしゃぶらせて、首相ポストを渡すことを条件に連立政権をつくるという方策がないとは言い切れません。それでも基本路線が水と油以上に異なるなら、やはり野合の批判は免れがたい側面があるようには思います。弱体化はしたものの、革新連合＝改革連合での衆院過半数確保を目指すのが王道ではあるのでしょう。

ただ、これまでの政治の不正が暴かれ、罪を問うことになったとき、総選挙の最大争点が「政治とカネ」問題になることは考えられる。検察は刑事事件としての立件をほぼ放棄しましたし、自民党の党内処分もゆるゆる。法改正案も完全な骨抜き状態なので、この問題がさらに拡大する可能性は残ります。

「政治とカネ」問題では、犯罪議員の摘発および適正責任追及と法改正の2つが焦点になります。通常国会後半で政治資金規正法改正が審議されますが、どこまで踏み込んだ決着になるのかならないのか。ここが目先の最大焦点です。

最重要の柱が3つあると考えます。第1は、政治家に総括収支報告義務を課すこと。元検事の郷原信郎《ごうはらのぶお》氏が提案しています。政治家個人が関与する政治団体、資金管理団体の資金収支を総括して報告する義務を課すこと。これがないと、政治家が受領した資金の帰属を特定できないため、犯罪を立件することが難しいという現実があるとのことなのです。

第2は、21条の2の2項の削除。21条の2の2項は政党から政治家個人への寄附を認めていて、この条文によって自民党幹事長に5年で50億円近い政治資金が流れ、その使途が一切明らかにされないという問題が生じています。いわゆる党から議員に支給される「政策活動費」の問題です。21条の2の2項を削除して、「政策活動費」制度そのものを廃止すること。

第3は、連座制の適用。これ以外にも政治資金の無税贈与を禁じるために、政治資金を相続の対象にすること。これらの法改正が必要。ただ、全員それに乗るかというと。

白井 なかなか難しいでしょうが、わかりやすく政治家や政党の反応が分かれる点ですね。

植草 「政治とカネ」利権を温存したい勢力が確実に存在する。自民が本尊ですが、国民民主や維新も巨額の政策活動費を利用してきた「実績」があります。「政活費」を「生活費」にしてきた現実がある。

自民党政治の最大の問題は「利権のための政治」にあると言えます。政治を利権業にしちゃっている、全部。補正予算配分のすべてが利権支出になっているのは、役所が天下りを増やすことと政治屋が献金とパーティー券購入、裏金受領を政治活動の目的にしてしまっているからです。

白井 官僚が必ずしも正しい政策を立案・起案するわけではないので、そこで指導性を発揮して主導していくことが政治家の本来の役割・仕事です。現状の自民党代議士は、自分のポジションを確保するために利益誘導することだけで頭がいっぱいです。

その結果、技術開発で優れたものを生産し、利益を出すようなまっとうな資本主義ではなくなりました。企業が政治権力とのコネクションを生かし、補助金を取ることを利潤の源泉にするようになってしまった。そんな社会は停滞するに決まっています。

植草 日本の国会議員は歳費や文通費、政党交付金など報酬が異常に高い。さらに与党の議員は個別企業、個別業界から陳情等を受けて、それに応えて動くことで献金や裏金を受領することを生業《なりわい》としている。公務ではなく、完全な営利ビジネスと言えるでしょう。これが腐敗の源泉。

そして警察も検察も犯罪が明白に存在しても、これをほとんど摘発しない。法律を全面的に変え、刑事司法を厳正化するには、革命を引き起こす気概を持つ新しい中核勢力が出現しないと難しいでしょう。長州《ちょうしゅう》の高杉晋作による奇兵隊《きへいたい》のような。

白井 そもそも日本の国会議員の処遇が、働きぶりに比して高過ぎる。

植草 政党からの交付金も合わせると、5000万から6000万円になる。政治にお金をかけるのであれば、たとえば政策スタッフを10人雇い、そこに国家予算をつける。その10人は、政策のためだけに働く。そうすれば相当なマンパワーになり、議員1人の政策立案能力も高まる。そういう形で国費を使うのであれば、政治は豊かになります。野党共闘するにしても、政権樹立後の抜本的な制度変更まで綿密に具体策を明らかにしておかないと、政権をつくっても意味がない。過去の汚職、腐敗の徹底追及もできません。

白井　そうなのです。歳費や政策活動費に関しては金額の多寡《たか》だけが話題になりがちですが、事の本質はそこにはありません。問題は金額の大小そのものではなく、それが有効に使われているのかということです。有効でないならばわずかな額でも高過ぎるし、有効に使われているならば増額したっていいのです。

まずは20議席。政権奪取はそれからだ！

白井　仮に戦術的なものを立てて、理屈も立てて、世論も醸成して、実行するためには何が必要でしょう。

植草　2つの必要がある。一つは、神輿《みこし》に乗る人と乗せる人。1993年は、細川護熙氏と小沢一郎氏がいて新政権が樹立された。今は両方いない状態です。もう一つは、革新新党＝清新新党の登場。1992年に日本新党が生まれて93年の政権交代があった。いきなり単独過半数は無理でも、一定規模の議席を有する新党が出現して国民の関心を一気に集めるアクションが必要でしょう。国民の期待を集め得る新勢力が必要不可欠だと思います。小沢新党のような50人規模を集めるのは難しいですが、10人、あるいは20人規模の新党の登場が必要です。

白井　あと金《かね》でしょうね。そこで新しい党をつくって、それこそまさに独立勢力、日本の真の独立のために命懸けでやる集団ですよ。そこに今の野党議員、それから与党の議員も場合によっては集結させる。

植草　今の政治の閉塞《へいそく》状況を打破するには、何かやらなきゃいけない。ただ今のメンツで数合わせしても魅力的なパズルの絵が出てこない。そこは新基軸が必要。大多数でなくても、20議席ぐらいでいいと思います。その新基軸が出現して触媒《しょくばい》の機能を発揮して化学反応を引き起こす。清新新党の登場が待たれている。

白井　それに勢いがつけば、あとはもう付和雷同《ふわらいどう》の連中が勝手についてきますから勝てるようになる。最初に勢いを出すためには絶対に金が必要なんです。早い話が「経済人、金出せよ」という話ですよ。

本当に不思議なのは、今の日本の経済人は、このままでよいと思っているのか。竹中平蔵氏みたいなインチキ野郎に引きずり回されて、経済の体力そのものがガタ落ちしてしまいました。はっきり言って、この10年間の腐敗の進行のなかで、それを検証するならば逮捕されるべき人がわんさかいると思います。

植草　いろんな権力がありますが、そのなかで一番根源的な権力は身体の自由に関する権力ですから。警察、検察、裁判所の権力ですね、一番大きいのは。鳩山政権は非常に紳士的で権力を利用＝濫用《らんよう》しなかった。利用すべき権力の行使もためらってしまう面があって、その間に政権をひっくり返されてしまった。事前に準備して政権を取ったときにこうやると決めておけば、いろんなことができる。

民主党政権に血を流す覚悟なし！

白井　民主党政権ができたとき、新しく大臣になった政治家が調子に乗って「明治維新以来の革新だ」と言った。「お前、本気か！」と驚愕《きょうがく》しましたよ。
明治維新でどれだけ血が流れたか。安政《あんせい》の大獄《たいごく》、桜田門外の変、戊辰《ぼしん》戦争、数々の士族反乱、西南《せいなん》戦争で西郷隆盛に勝った大久保利通《おおくぼとしみち》も殺された。あれに匹敵する変革をやるのなら、それと同じぐらい血が流れる覚悟がいる話ですよ。本当にその覚悟があるのかと思ったら、もちろんあるわけがなかった。「明治維新とか言って調子に乗ってる時点でダメ」と思いましたが、案の定でした。

植草　その後の政治家の個別的の行動を見ても、民主党だった人が知らないうちに自民党に転籍して、自民党政権の大臣になった人もたくさんいる。政治的な哲学や思想があって、それを実現するために政治家を志したのではない。政治家になること自体が目的で、「どこの党に行ったら大臣になれそうか」を考えて行動しているように見えます。

目的は、「社会を変える」「政治の仕組みを変える」ではなく、「社会的に高い地位を得る」「利権を得る」。そういう議員が残念ながら野党を含めて多い。自民党とほとんど変わらない。2009年に政権交代が実現した際、鳩山さんが自分の考え、独自性を前面に出して、鳩山さんが掲げる政策を命懸けでやる人を閣僚に選べば状況は違った。そうでなく、党内力学に配慮して人事を行ったため、面従腹背の悪徳閣僚に政権を転覆されてしまったと言えます。

白井　政権交代したとき、自民党を再起不能な状況に追い込まなければ、逆にカウンターを食らって再起不能になると感じていました。本当にその通りだった。自民党、経団連、官僚機構は、戦後日本の権力機構の鉄のトライアングルですよ。自民党を頂上に載せておくのは、実権を握っている勢力の総意です。その構造を崩すのは並大抵のことじゃない。

その戦いをやりきらなければ、どうなるかといえば、逆にカウンターを食らって徹底的に叩き潰される。自民党を権力の座に就けることは、日本の実体的権力の総意ですから。もう絶対、二度と政権交代なんか起こさせないぞというレベルまで叩き潰されます。

植草　政権交代が起きたときに、一番のポイントは翌年の参議院選だと思っていました。翌年の参議院選でもう1回勝てば、ねじれも解消します。法律の改正を本格的にできる。そこまでは片肺飛行ですから不安定なわけです。逆にいえば権力を奪われた側は、そこに焦点を当ててひっくり返した。本当の勝負は2010年7月でした。そこまでに既得権勢力の戦略に完全にやられた。一番重要なのはメディアと官僚機構。メディアと官僚機構は、新たに就任した総理大臣ではなく、別の力で支配されていた。アメリカの意向です。官僚機構、大資本、メディアがアメリカ支配の下で動いた。これを遮断するための方策が必要だった。官僚に対する人事権をフル活用するべきでした。メディアに対しては総務省の放送行政への権限、NHKの経営委員会を通じる権限を活用すべきでした。大資本に対しては補助金行政の根幹を操作する対応が求められました。これらの施策を同時並行で迅速に実行する。しかし、実行には事前準備が必要だったでしょう。それが不足していたと思います。

白井　改革阻止の圧力に対抗するためには、人事権で戦わなければならなかった。言うことを聞かない官僚はドンドン首を切らなければならなかった。政治家の権力の源泉は人事権ですからね。その点、安倍晋三氏はよくわかっていましたよ。

そもそも日本で一番良い政治が行われたのは、いつでしょうね。

植草　私の考えでは、1945年から47年ですね。1947年以降、日本の占領統治は180度転換し、今もその延長上にある。この時期には躍動感《やくどうかん》もあった。時間は少しずれますが、内閣でいえば片山哲《てつ》内閣（1947年5月〜48年3月）、芦田均《あしだひとし》内閣（1948年3月〜10月）の時代です。芦田内閣は昭電疑獄（昭和電工事件、1948年）で潰された。

背景にアメリカの占領政策の転換があり、GHQ・G2（参謀第2部）の暗躍がありました。G2と結託《けったく》したのが元総理の吉田茂《よしだしげる》氏（第2次〜第5次吉田内閣、1948年10月〜54年12月）です。その後は、岸信介《きしのぶすけ》氏、笹川良一《ささがわりょういち》氏（日本船舶振興会［現日本財団］元会長）、児玉誉士夫《こだまよしお》氏（右翼の黒幕）、旧統一教会（世界平和統一家庭連合）による勝共ラインとアメリカが連携して日本統治の基盤を形成した。旧統一協会は岸氏を通じて自民党に入り込んだ。

その旧統一協会がもう一つ基盤としたのが民社党と同盟で、その流れの延長線上に位置するのが芳野友子氏（連合会長）です。現在の連合のミッションは、いかに野党共闘を破壊するかにある。この問題を解決しないと、日本における政治刷新運動は常に壊されることになると思う。今、立憲民主党がガタガタにされている基本的背景も連合だと思う。

問題は、連合の旧総評系組合が機能していないこと。連合内のぬるま湯の湯加減がよろしく、転向した労働組合組織を守る側に回っているように見えます。自治労、日教組《にっきょうそ》などの存在感がまったく感じられなくなりました。

白井　同感です。数年前に日教組の幹部と話をしたことがあって、そのときに言ったのです。ちょうど集団的自衛権の行使容認が問題になっていた頃でした。「連合の主流派は安倍政権の軍事拡張に本音では賛成している。なぜなら、それによって儲かる企業の労組が中心を成《な》していて、会社が儲かればその従業員も潤うからだ。だから、この流れに本気で反対するというのなら、主流派と決別しなければならないでしょう」と。

そう言ったら、「その通りでそれはわかっている。とはいえ、単独行動したところでインパクトはもたらせない。われわれとしても考えがあるから見ていてほしい」というようなことを言っていました。しかしまったく予想できたことでしたが、彼らは今まで何の行動も起こしていません。

害悪でしかない早稲田の政治サークル

白井　国会で20から30の議席を取るためには、どうすればいいのか。れいわ新選組にしても、なかなかそう簡単に議席数を伸ばせていません。かつての中選挙区制では、日本新党なんて海のものとも山のものとも知れない存在が、けっこう議席がとれました。

植草　１人の当選者を出すだけなら方法があります。たとえば参議院通常選挙の比例代表選挙で当選者１人を得るには、１２０万票程度が必要です。45の地方区に候補を擁立して各候補が２万強の票を得ることができると、比例がこれに連動して全国合計で１２０万票に近づきます。２万票を獲得した地方選挙区の候補者には、その後の都道府県議選や市議選に出馬を促し、地方議員での当選を図る。この戦略で1人の国会議員を生み出すことはできると聞きました。NHK党（現みんなでつくる党）がこれをうまくやったと言われます。

ただ、1人では影響力が小さい。10人規模の当選者を得るには現職議員を含み、政党要件を満たす政党を立ち上げないと難しいと思います。少なくともブロックで、小選挙区で1人通らせて。あるいは、何人かの当選者と既存政党からの移籍組を合わせて、10名の新党を樹立する。10名の新党ができれば、いろいろな国会での発言権、提案権が出てくる。そういう機運を盛り上げる方が目の前にいる（苦笑）。

白井　（苦笑）。

植草　そういうのを実現しないと、日本はこのまま沈むしかないのでは。

白井　泉房穂氏はどうでしょうか。いろいろ問題のある人だという評価もありますが、理想の指導者を待っていたって、天から降ってくるわけじゃありませんから。

植草　いいと思いますよ。山本太郎氏もいい。山本さんは「れいわ新選組」をつくった後、独自路線に突き進んだので、連帯を広げる動きになっていないから大きな動きにつながりにくい。立憲の原口一博氏、末松義規《すえまつよしのり》氏、川内博史《かわうちひろし》氏などが腹をくって5、6人でうまく合流したら、インパクトあると思う。

白井　自民党からも引っ張りたい。船田元《ふなだはじめ》氏とか、いい加減に自民党を辞めればいいんですよ。

植草　女性はどうですか。

白井　野田聖子氏もいい加減に自民党を辞めるべきですよ。ご自身の価値観、信念とかけ離れた集団にいつまでいるつもりなのでしょう。このままでは虚《むな》しい人生を送るだけです。集まるのは、左でも右でもいいです。ただし、歴史修正主義だけはノー。そこはきちんとラインとして守んなきゃいけない。

植草　なかなか女性が出てこないのはなぜでしょうか。

白井　男でも女でもそうなんですが、永田町に行きたい、永田町で活躍したいと考えて人生の進路を取る種類の人間の多くは、人材としてははっきり言って最低の部類でしかない。維新の音喜多《おときた》駿《しゅん》氏は同じ早稲田で学年もちょっとの違いだから、どういう人間だったか目に浮かぶ（苦笑）。

植草　ただ単に議員になりたいだけ。

白井　早稲田の学生だった時代、僕は政治学、経済学などを勉強する学術サークルにいました。その近傍《きんぼう》に政治サークルがある。政治学じゃなくて政治サークル。勉強はしないが政治論議、それも憲法問題と国防問題をやたらに好む傾向があった。薄っぺらいやつらです。

　政治家、それも保守系を呼んで講演会をやることが彼らのメインの活動です。彼らはなぜかいつもスーツを着ていた。僕らは心の底から軽蔑《けいべつ》していました。そうして学生時代から政治ごっこやって、政治家にコネを作って、政治家になりたいと思っている滑稽《こっけい》な連中がいた。

植草　早稲田の雄弁会はどうですか。

白井　結構年代によって中身が変わります。つい最近は雄弁会が大変左傾化しているという話も聞きました。雄弁会以外にもいくつか政治家志望者の集まるサークルがありました。音喜多氏はそういう界隈《かいわい》にいたのだろうなと想像できるわけです。だからあの顔つきなんだなと非常に腑《ふ》に落ちるのです。

植草　政治家になりたい人と政治家にさせたい人が真逆っていうところがね。

白井　看板はなんでもいいから、まともなのをちゃんとした地位につけないと、本当にもうガタガタで国が壊れる。横浜市長選（2021年8月22日）だってひどいものでした。菅義偉《すがよしひで》氏が推した小此木八郎《おこのぎはちろう》氏（元自民党副幹事長）と、野党共闘候補の山中竹春《やまなかたけはる》氏（科学者、理学博士）が闘って、山中市長誕生で野党支持者は溜飲《りゅういん》を下げたわけです。しかし僕は山中氏については、最初から「こいつはやばい」と思った。キャッチフレーズが「僕はコロナの専門家」でしょ。

植草　早稲田でしょ。突然テレビに出てきたコロナの専門家ですね。

白井　「〇〇の専門家」と名乗ることの重みは、いくら畑が違うといっても研究の業界にいる僕にはよくわかる。世界広しといえど、「コロナウイルスの専門家です」と堂々と言える人は、そんなにいないはずです。

ところが山中氏が言うのは「私の専門はデータサイエンス（データを用いて新たな科学的および社

会に有益な知見を引き出そうとするアプローチ)。このコロナのパンデミックに対して、データサイエンスは役に立つ、だから専門家だ」とか言うわけです。たしかにデータサイエンスがコロナ対策に役立つ可能性はあります。でも専門家であるということとは違います。こういうことを言っちゃう人はやばいですよ。

植草　地方政治から、中央政治を変えていくと息巻く人たちもいますよね。首長《くびちょう》にしても。

白井　はい、すぐれた人材は数多くいるはずです。

植草　北川正恭《まさやす》氏(元三重県知事)は、なぜ出てこないんでしょう。

白井　事情はよくわかりませんが、北川さんはそうした人材を集める結節点《けっせつてん》となる活動をしていたと思うのですが、結局旗揚げできていません。

泉房穂が救国の主になるか?

植草　地方の話でいくと、メディアにも問題があるんです。メディア問題はRound4で触れますが、能登半島地震についても少しお話ししておきたい。石川県は北國《ほっこく》新聞が圧倒的に力を持っている地域です。かつての谷本正憲《たにもとまさのり》知事の時代(1994年3月~2022年3月)は、北國新聞とかなり近い距離を持っていた。今の馳知事は、森喜朗元総理と近い流れです。

元日に地震が起き、馳知事は東京から急遽《きゅうきょ》ヘリコプターで戻る。それを北國新聞が地震の揺れを共有しない知事として批判した。あの北國新聞が知事批判したと大きく伝えられた。ただ石川県自体がまさに保守王国なので、こういうことがあってもなかなか大きく声を上げる空気もない。

知事でいえば、達増拓也《たっそたくや》氏（岩手県知事、2007年4月～現在）は、いい仕事をしていると思います。でもインターネットでもメディアでも達増さんの発言を伝える記事など皆無ですよね。その一方で、橋下徹《はしもととおる》氏は大阪府知事を辞めた後も毎日、インターネットのトップページに出てくる。誰もこんな人の意見は聞きたくない。

白井　そうですね。橋下氏のまったくどうでもいい話が毎日のように取り上げられる一方で、たとえば大阪・寝屋川市長の広瀬慶輔《けいすけ》氏は、コロナ対策でいい仕事をしていましたが、誰も知らない。

植草　達増知事がある問題が起きたときにコメントを出したとします。それをネットのニュースに出せば、「こんな意見を言っているんだ」とわかります。でも実際は出ない。東国原英夫《ひがしこくばるひでお》氏（そのまんま東、元宮崎県知事）、橋下氏、高橋洋一氏（経済学者）、ほんこん氏（吉本興業タレント）、そんな人の意見ばっかり流布される。地上波だけでなく、ネットメディアでも指定席が設けられていて、指定席メンバーの発言だけが連日連夜垂れ流される仕組みが形成されています。

達増氏がどれだけいい仕事をしても、ほとんどの国民はその存在すら知らない。ラサール石井さん（タレント）や鳩山さんの場合は、叩くことができそうなコメントだけを垂れ流す。マスメディアもインターネットも完全な情報操作の対象とされています。インターネットが発達して情報民主主義が拡大するのではなく、逆に圧殺されていると言ってよいと思います。

白井　そうですね。孫正義《そんまさよし》氏なんか、何を考えてるんだろうと思います。自分の庭（ヤフーニュース・コメント）がヘイト・スピーチのメッカになっているのに、野放しを続けました。孫氏もあれだけ金を儲けて、それでどうするつもりなのか。

植草　地方から変えようと活動する人はいても、憲法の制約が大きい。憲法が定める統治の仕組みがあるので地方政治の変革がそのまま中央政治の変革にはならない側面があります。世田谷区（保坂展人《ほさかのぶと》区長）や杉並区（岸本聡子《きしもとさとこ》区長）、泉房穂氏が市長だった明石市など、独自の地方行政が地域の住民から評価されれば、非常に良い行政になる。でも広がりを持たせることは容易ではないでしょう。日本の場合は、強固な中央集権の仕組みができ上がっているので、中央を変えないと、日本全体の変革を実現するのは難しいと思います。

さらに言えば、日本の国民のメンタリティそのものに自立力、戦略力、突破力がない。江戸時代に培われた「お上《かみ》と民《たみ》」の精神構造です。民でい続ける精神構造がＤＮＡで引き継がれてしまっている人が多い。だから特定の地域で変革が起きても、全体に広がるのがなかなか難しいのだと思います。

白井　しかし、そうしたメンタリティは本当に根深いのでしょうか。幕末期に、長州の奇兵隊は明治維新に火をつけました。

植草　長州の奇兵隊みたいに突破力のある団体が現れて、どこでそれが爆発するか。やっぱり中央だと思います。中央で大きな変化が起きないと、日本の今の憲法下の統治体制では、日本全体が変わるのに時間がかかる。突破力のある首長や市長、現職・元職の国会議員、あるいは知事や市長などが集まり、新たな中央政党を立ち上げて強い突破力で活躍する。そういう動きが出て、そこで変化を引き起こす以外に、なかなか日本の変革を見出《みいだ》せない気がします。知事選にも地方の首長が名乗りを上げたりしていますが、1人ではなく「有志の会」の塊《かたまり》を作って、大きなうねりを生み出すことが必要だと思う。

白井　救国の党みたいなのを作んないとどうしようもない。突出した誰かが旗を立て、「この指止まれ」ではなく、綿密に準備をし、根回しをし、旗が上がった瞬間、「はい、みんな」と乗るぐらいのものでないと、インパクトが足らないでしょうね。

植草　白井さんは具体的なイメージを誰か持ってないですか。

白井　こういうプランを聞いたことがあります。立憲民主党は、泉房穂氏を党首に迎える。それで泉さんを近畿ブロック比例1位で立てるのだそうです。

だけど、このプランは、党執行部の内情が変わらないのならば、意味がないのです。前回の民主党政権の失敗を反省していない面々を一掃してやらない限り意味がない。本当は、立憲民主党を解党して政界再編を仕掛けるべきなのです。

植草　解党じゃなくても、党の執行部を全部入れ替えるぐらい。

白井　それぐらいのことをやらないと、泉房穂氏が党首になる意味がない。

植草　立憲民主党が党の執行部を全員入れ替えて、泉氏をトップに持ってくる判断は可能性ゼロだと思います。今の立憲民主党の中枢にいる人々は、自分の地位と権力を維持することしか頭にない。岡田克也氏、安住淳《あずみじゅん》氏、玄葉光一郎《げんばこういちろう》氏もみんなそう。鳩山内閣を潰した主要メンバーです。そこに泉さんが乗るとすれば、泉さんもちょっと考えが足りない。泉さんにすべてを委ねて、執行部が「すべて任せるからやってくれ」だったらいい。しかし、彼らがそんなことを言うはずはない。

白井　言わないでしょうね、それは。

植草　そういう思いを持っている人は、私の周りにも結構います。いろいろと動きもある。江戸時代の由比正雪《ゆいしょうせつ》（軍学者、1651年の「慶安の変《けいあんのへん》」首謀者）みたいなね。ただし、動きは見えていない。見えると潰されるので。その準備段階としてのネットワークづくり。

白井　結局は、誰がトップに立ってやるのか、誰がその工作をするのかという話ですよね。僕は仕事をやめないとできない。仕事をやめたら、どうやって食っていくのか。東京に住まないとできないですし。

植草　お金を出す人がいればいい。

どうする、どうなる、共産党と社民党

植草　共産党、あるいはギリギリ議席が残っている、福島瑞穂《みずほ》氏の社民党はどうですか。

白井　社民党については「なくなっちゃったほうがいい」「リベラルのためだ」と捉える人もいますよね。「社民党がリベラルの足を引っ張る。今一つ脱皮できない」と言う人もいる。

植草　社民党も一部抜けて、立憲民主に行ったわけです。立憲民主が非常に近しい属性を持っている前提で行った。その立憲民主がものすごく右傾化した。ここから合流した意味がなくなっている。その意味でやっぱり国民民主、立憲民主のところをもう一度、二分しないといけない。この問題を解決しないといけない。それが解決できれば、社会民主党はなくても、まったく問題ない。

白井　「なくなったほうがいい」説の是非はともあれ、いずれにせよ10年後には持続できなくなるでしょう。担い手が高齢化していますから。支持者にも若手がいません。

植草　政党要件を満たす、ぎりぎり2％。

白井　「いよいよ政党要件がなくなる」と叫ぶと、それまで共産党になんとなく入れていたような人が「今回は社民に入れとくか」みたいな現象が起きて、微妙に得票が伸びる怪現象が起きる。こうやって現在まで生き延びてきた感じです。それは日本全体の流れを考えると、決していいことじゃない気がします。

植草　一つの塊にしないと。非自民にしても何にしても政権交代には行かない。

白井　結局、社民党が立憲民主に合併される。合流という名の合併になりそうだった。ところが土壇場で「やっぱり行かない」という人たちが残って、結局一部の議員が行くにとどまった。だから組織としての合併ではなくなった。

本当だったら、そこで組織としての合併をやって、社民党が今も持っている組織力、コネクションはあるわけだから、合併先である立憲民主の財産になるように合併すれば、元社民組もそれなりの発言力が出てくる。そのような合併が僕は望ましかったと思うんですが、内情を聞くに、誰もそういうことを考えない組織だとよくわかりました。党首が代わった共産党の動きはいかがですか。

植草　これまでの日本政治のなかで、共産党が果たしてきた機能はある。常にいろんなものにチェック機能を持っていたので、不祥事を発掘する調査能力は高い。

白井　今や「文春か、赤旗か」と言われている。

植草　不正とか腐敗に対する姿勢も非常に厳しい。腐敗しきった日本政治に喝《かつ》を入れる存在意義はあった。ただ、この組織が自己の論理で自己完結している。共産主義社会の実現にこだわって存続していくのであれば、ジリ貧にならざるを得ない。

外部の状況が変化するときに、その変化に対して自己を変革する能力を持たなければ、自然消滅に向かわざるを得ない。そういう瀬戸際《せとぎわ》に直面している。党首も交代して、女性の党首が出て、党の基本方針を刷新する好機になると思います。今のところは、その好機を生かす方向で動きが見られない。極めて厳しい状況に置かれている。

白井　僕は田村智子氏が共産党の党首になっても、路線は変わらないだろうと思います。ただし共産党は、今年4月の3補選では候補者を取り下げて、「大人の対応」しました。しかし、遠からずある衆院選で、立憲民主の有力議員がいるところの選挙区に次々と候補者を擁立しようとしていて、立憲を震えあがらせているとの話も聞きました。

植草　戦術的にそれをやっているのであればいいですけど。

白井　戦術的だと思いますし、いいことですよ。志位和夫《しいかずお》前委員長はある意味、自分たちから誠実さを見せてやったけども、立憲民主の側にまったく誠実さはなかった。一方的に譲るだけになりました。ちょっとここはガンガン立てたほうがいいと思います。

田村委員長に期待したいのは、忍耐力とともに政治的戦闘能力です。「女性が党首になって共産党はソフトな方向に変わるね」みたいな論評をする人たちもいますが、僕はまったく正反対に見ています。けれども必ずしもそれは悪くない。共産党らしいハードさが大事だと思います。

植草　2021年10月の総選挙で、枝野さんが「われわれの共闘としている対象は国民民主党と連合である」と明言している。れいわ、社民、共産は共闘の対象じゃないと言った。ここから立憲民主の支持がガクッと落ちて、選挙に大敗した。後継代表になった泉健太氏は反共路線をより強化したので、2022年の参院選で立憲民主党はさらに大敗北した。

これから先、総選挙になったときに当然、自公は各選挙区に1人の候補者を擁立する。維新がどう立てるかで変わりますが、今の状態で立憲民主が小選挙区で勝ち残れる人は非常に少ない。そこにもし共産党が候補者を立てれば、確実に落選します。

その意味で立憲民主党の横暴な行動を抑止するには、共産党は自ら引くより、すべての選挙区に候補者を立てる戦術を取ったほうが有効です。それによって逆に野党共闘的な候補者一本化の動きが、初めて生成される可能性がある。

白井　立憲民主党に絶望するゆえんはいくつもあります。そもそも他の野党と選挙協力をしているのか、してないのかわからない。意味不明の状況です。協力が成り立ったと外面的にいえるような状況においても、どういうプロセスでそうなったのか、裏話まで含めて本当にひどい。誠実さの欠片《かけら》もないことは明らかです。こんな連中を自民党の代わりに権力の座に就けたところで、もっと一層ひどくなる可能性もあります。

植草　今の立憲だったら、自民のほうがまだまし（苦笑）。自民のほうがまだ仁義を守る部分もある。逆に今のままであれば一旦《いったん》、立憲民主党は壊滅の方向に導いたほうがいい。

白井　そうなんです。壊滅させたほうがいい。

植草　もともと背景には、安保法制の反対があった。立憲は２０１７年10月の希望の党のときに、踏み絵を踏まなかった人たちが集まってつくった党です。野党共闘を支持する主権者側は、国民民主ではなく立憲民主を応援した。この立憲民主を共産党が選挙共闘で全面支援したので立憲民主党が一気に躍進した。その恩を忘れて２０２１年の選挙のときには、共産党との共闘をやめ、切り捨てた。22年の参議院選で、立憲民主はさらに惨敗しています。

あの時点で泉健太代表は本来辞めなきゃいけなかった。辞めなきゃいけないときに辞めないのは菅直人氏と一緒なんです。２０１０年7月の参議院選で枝野幹事長が、「この参議院選は菅直人内閣に対しての信任投票だ」とまで言った。選挙に大敗したわけですから、そこで本来辞めてないといけない。あそこで辞めていれば小沢一郎政権だった。

白井　しかもですよ、泉健太という人物が、なんでトップに居座っているのか。地元京都の立憲関係者と話していても、彼が尊敬されてもいなければ恐れられてもいないことがよくわかる。それもそのはず、「軽くていい」と担がれた神輿《みこし》にすぎないからです。担ぎ手の先頭にいると目されるのが、大阪の平野博文《ひろふみ》元官房長官。議員でもない人間が実権を握っているのは、自民党の森喜朗氏と同じ。意味がわからない。到底健全な党とはいえない。

植草　鳩山内閣を潰したのは平野氏、岡田氏、前原氏、北澤俊美氏ですから。

白井　一番悪いのは仙谷由人氏ですよ。彼は小沢一郎氏が陸山会《りくざんかい》事件（小沢一郎の資金管理団体「陸山会」の土地取引を巡り、政治資金規正法違反〈虚偽記入〉罪で小沢が強制起訴され、東京地裁が無罪判決）で攻撃を受けていたときも、守るどころか「これ幸い」と見殺しにした。「鳩山と小沢は目の上のたんこぶだ」と。結局官僚権力の力で上位者を取り除いてもらって、自分たちが上にのぼった。こんな連中が「政治主導」などできるはずがないのです。

植草　アメリカと裏側で手を握る人を普天間問題の担当大臣に起用したために、鳩山さんの方針を転覆されてしまった。このときの官房長官が平野博文氏ですから。この意味では人事の失敗があったと言わざるを得ないでしょうね。

白井　鳩山さんは政治家として可能性はどうなんでしょう。

植草　鳩山さん自身が表に出ることはないと思いますが、鳩山さんが提示したリベラリズムの政治哲学は極めて貴重なものだと思います。このリベラリズム政治を実現するために、鳩山さんに大きな仕事をしていただきたいと強く願っています。

白井　鳩山家といえば豊富な資金力が云々《うんぬん》されますが、実態はどうなのか。

植草　無尽蔵にあるわけではない。『国体論 菊と星条旗』（２０１８年、集英社新書）によって白井さんが、日本政治の１５０年を一刀両断に解き明かした。敗戦後日本を貫く背骨はアメリカによる支配だ。このくびきから日本は脱却することができるのか。もう一つの日本政治を織りなすのは金権腐敗。明治の分岐点は「明治六年政変」だったと私は判断している。明治6年（１８７３年）政変の核心は、大久保利通と江藤新平の闘いだった。人権と清廉潔白《せいれんけっぱく》の江藤が国権と金権腐敗擁護の大久保によって斬殺《ざんさつ》された。金権腐敗が生き残り、清廉潔白が消滅した。その流れが現在まで続いている。

自民党裏金事件の表出が、4月28日の衆院補選に影響したことは間違いない。しかし、補選の投票率は低かった。金権腐敗政治を支えてきたのは、実は日本の主権者自身だ。このことを直視しない限り、日本刷新の道は開けない。敗戦後の2年間、夢が広がる期間があった。戦後民主化のほぼすべてはこの期間のレガシー（遺産）である。

しかし、民主化政治は2年で終焉した。アメリカの外交政策が反共政策に変わり、日本統治の主導権がGS（民政局）からG2（参謀第2部）に移行した。G2と結託したのが吉田茂元総理で、ここからアメリカに隷従《れいじゅう》する日本が始動して現在に至る。

対米隷属からの脱却と金権腐敗からの脱却が日本政治の課題。これを牽引《けんいん》する原動力が不在の状況にある。清新な推進力がどうしても必要だと思う。この大任の一角を担い得る人材としての白井さんに、大いなる期待を寄せています。

白井　はい、ありがとうございます。いままで僕のやってきた主な仕事は研究と教育ですが、その両方で民主国家の主権者として覚醒せよというメッセージを送ってきたと思うのです。今の日本国民に根本的に欠けているのはこれで、いくら制度をいじったところで国民に主権者としての自覚のないところで民主制など成り立つわけがありません。

当然のことながら、民主主義制度における政治のレベルは国民のレベルによって決まります。国民が愚《おろ》かならば、愚かな政治が行なわれます。若年層を見ていても、主権者意識の欠如はますますひどい状況になっていますから、このままでは政治はさらに一層ひどくなるとしか思えません。

ですから、本質論を言えば、国民の精神状況の立て直しから始めなければならないわけです。政治や社会の危機的状況が切迫するなかで、覚醒する人は増えつつあるのも事実でしょうが、決定的破綻《はたん》の訪れとの競争になるだろうと思います。

Round3

外交を解く！

ウクライナ、ガザ、そして、台湾。
ニッポンの立つべき位置や如何に？

グローバル南北戦争が狼煙を上げた？

白井　Ｒｏｕｎｄ３では、国際情勢の話をしていきましょう。ウクライナ、中東ガザ、台湾危機とあちこちで有事と緊張が生じており、いずれも解決の糸口が見出《みいだ》せていません。まずは、ロシアとウクライナの戦争について議論しましょう。喧嘩《けんか》両成敗的に「どちらも悪い」という見方と、「やっぱりプーチン大統領がけしからん、ウクライナが善」という見方の２つがあります。

植草　２０２２年２月24日、ウクライナに対するロシアの特別軍事作戦が始動しました。ちょうど『日本経済の黒い霧　ウクライナ戦乱と資源価格インフレ　修羅場をむかえる国際金融市場』（ビジネス社、２０２２年）の執筆中で、「一種のおとり捜査にはめられたロシア」という書き方をしました。国際紛争の解決手段として武力を行使した点において、ロシアに問題はあります。

白井　僕も驚いたのは、国際法的にアウトとされる手段の行使に、プーチン大統領が走ったことです。ドンバス紛争（２０１４年～）の解決を目指すのが、目的として現実的だったと思うのです。ところが、この目的に対して、全面侵攻という手段は悪手だったように思います。

植草　ロシアが領土的野心を抱き、ウクライナを侵略した。ロシアが悪、立ち向かうウクライナが正義との見立てが、西側諸国ではずっと続いてきた。報道もその一色です。

ウクライナは、1991年に独立を果たして30年余りしか経っていません。東西冷戦の崩壊に伴ってウクライナが独立し、そのあと政権転覆と呼べる事件が2度（2004年、14年）ありました。1度目は、大統領選挙でヴィクトル・ヤヌコーヴィチ氏が一旦《いったん》勝利したものの、選挙がやり直しになった。2度目は、ヤヌコーヴィチ大統領がロシアに逃げる状況が生じ、それに伴ってウクライナ新政府が樹立された。この新政府樹立は事実上、暴力革命による政権転覆でした。その背後に、アメリカのさまざまな工作活動があったとされています。

白井　そもそも今回の戦争は、元をたどればウクライナ国内の分断と分裂、対立が深刻化し、内戦になったところから始まったわけです。ロシア系住民が多くいて、ロシアにとって他人事《ひとごと》ではないので、介入する展開をたどったというのが大枠の道筋だと思います。

だから、小さい視点でいえば、ロシアとウクライナの対立となる。しかし、ウクライナをバックアップする存在として、NATO（北大西洋条約機構）諸国、とりわけアメリカがいる。ロシアは、ウクライナの背後にEUやアメリカの影を見ている。実際、NATO諸国からの支援がなければ、これまでウクライナは戦争を継続できていないわけです。だから、ロシア対アメリカを中心とするNATOの対立、いわば「代理戦争」の様相を呈している。

植草　ウクライナ問題については、イゴール・ロパトノク監督の映画『ウクライナ・オン・ファイヤー』（2016年）が参考になります。2014年の政権転覆を追ったドキュメンタリーで、この映画自体、西側諸国では閲覧制限の対象になっています。

この映画への対応を見てもわかるように、西側の報道だけを鵜呑《うの》みにする人たちが、大国対立の背景をほとんど知らずに論評している。その一方で、西側諸国とアメリカの主張に賛同している国は、人口比で言うと圧倒的少数派になっているのも事実です。

白井　そこが重要です。ロシアの行動に対して、国連決議などで非難する決議に参加している国は多い。しかし、非難だけでは実効性はありません。重要なのは行為、つまり経済制裁となりますが、対ロシアに経済制裁している国は圧倒的に少ない。ヨーロッパ諸国、北米のカナダとアメリカ、アジアでは日本、韓国、台湾、シンガポール。オセアニアの中心国であるオーストラリア、ニュージーランド。それだけです。

植草　制裁に参加している国には、共通点もある。

白井　ええ、いわゆる先進国ばかりです。かたや途上国は概して中立的、あるいはロシアに対して同情的です。「悪は懲らしめなきゃ！」とアメリカやヨーロッパが笛を吹いても、誰も踊らず言うことを聞かないのです。こうなった背景は、中国がロシア寄りの中立姿勢をとったことが決定的だったと考えています。これによって、他の途上国の腹が決まった。

しかし、それ以前に、欧米先進国による帝国主義批判に対して、途上国はもうウンザリしているのです。ロシアの帝国主義的行為を批判すると言うが、一体どの口が言うか、と思っている。

植草　グローバルサウス（主に南半球の新興国・途上国）の中心に存在する中国が、ロシア寄りの中立の姿勢を示した。考えようによっては、中国がもう少しＮＡＴＯに対して対立的な行動をとる選択肢もないわけでもなかった。

白井　そこはとても憂鬱《ゆううつ》な話です。アメリカ、ヨーロッパ、アジア、ロシア、オセアニアと大国を巻き込んだ対立構図が今、地球上のいろんな所へ飛び火しつつある。その対立構図とは、すなわち先進国対途上国（グローバルサウス）です。

グローバル南北戦争の状況がウクライナ紛争をきっかけにして出現したというのが、僕の根本的な見解です。先進国全般の世界に対する支配が弱まるなか、先進国内部の水面下で、足の蹴《け》り飛ばし、従属の深まり、主体性の喪失が起きているともいえます。ようするに、アメリカがヘゲモニー喪失の恐怖に襲われるなかで、日本を含む同盟国に対し、「もっと言うことを聞け」「もっと犠牲を払え」という圧力を高めています。

ウクライナ問題はヤクザの抗争である

植草　アメリカが目指す一極支配、ワンワールドな構想に対して、中国の習近平《しゅうきんぺい》国家主席がどう考えているのか。多極的な世界の新秩序を目指しているとの見立てがあります。

中国がアメリカのネオコン（新保守主義）の考え方にどう向き合うのか。アメリカの価値観外交と呼ばれる考え方は、自由。人権・民主主義・法の支配・市場経済を掲げるものです。しかし、その内実を見ると、アメリカが他国に埋め込もうとしている核心は自由と市場経済で、民主主義、人権、法の支配は見せかけ上の装い、偽装に近いものだと思われます。中国は冷静にアメリカの本音、思惑を洞察して、アメリカによる世界市場支配、ワンワールドの構想を牽制《けんせい》しているように見えます。

白井　ヤクザの抗争にたとえると一番わかりやすいです。あらゆる手段を使って勢力圏を守ることをやってきたアメリカは、これまで中南米で何をやってきたのか。ヨーロッパ列強は、アフリカで何をしてきたのか。旧植民地を「おれのシマだ」とやりたい放題のことをやってきた。だから、「ロシアは強引だ」と欧米が批判したところで、途上国には全然共感を呼ばない。その状況が露《あら》わになってきたわけです。

植草　主にアメリカが狙《ねら》っているのは、世界の市場経済化です。世界を自由かつ統一の経済市場にして、アメリカの巨大資本が利益を極大化させる。この戦略を受け入れない国に対しては、場合によっては武力行使も辞さないというのが、アメリカのネオコンの考え方です。

しかし、この振る舞いは民主主義の根幹を損ねるものと言うほかありません。多様な価値観、哲学、思想が世界にはあり、その異なる価値観、思想、哲学の併存を認めるのが民主主義の考え方の根幹をなします。それぞれの国と地域が持つ価値観を尊重した上で、共存・共栄を果たしていく。それが多極主義の考え方です。中国は、その多極主義に基づいた世界の新秩序構築を目指している。

中国の自制的な行動によって戦乱が世界に拡大することは抑止された。グローバルサウスと呼ばれる勢力も、内政不干渉と紛争の平和解決を安全保障の基本としている。他方で西側諸国が全面的な参戦を抑止して一定の自制心を持って対応していることも、事態の悪化を防ぐ一定の防御壁になっている気はします。

白井 中国が覇権《はけん》的な国となり、世界の中心になるかどうか。それを現段階で論じるのは、性急に過ぎる気がしないでもありません。それ以上にまずは、欧米中心の秩序がどれだけ崩れてきているのか。そこをしっかり注目するべきだと思います。

植草 おっしゃる通りです。第3次世界大戦に発展する懸念が消え去ったわけではありません。

白井 ロシアには、伝統的にアメリカへの対抗心があり、何とかアメリカが世界を支配する体制に穴を開けてやろうと長年活動してきた背景もあります。

植草 現代の戦争は基本的に「必然によって生じない」と私は考えています。アメリカの軍産複合体の経済的事情、軍産複合体の利益のために、戦争は「必要によって創られている」。ロシアとウクライナの戦争も、軍産複合体の必要によって創作されたとみて間違いない。

国連の安保理が是認した「ミンスク合意1・2」（ミンクス議定書／2014年、15年にウクライナ東部で起きた同国軍と親ロシア派武装勢力との紛争和平への道筋を示す合意。ドイツとフランスが仲介し、ベラルーシの首都ミンスクで2014年9月ならびに15年2月に締結）を、ウクライナ政府が履行していれば、そもそも今回の戦乱は起きなかった。同時にアメリカ軍産複合体の経済的動機に基づく戦争だという側面が強いと思います。

こうした背景を無視して、「ロシア悪、ウクライナ善」と垂れ流してきたメディアの嘘八百《うそはっぴゃく》は、やはり検証しておく必要がある。

白井　日本の報道もひどい。そして、この間テレビ等で大活躍してきた「専門家」たちの問題も指摘しないわけにはいきません。

なぜプーチン政権は倒れないのか

白井　開戦当初、先進諸国は「反ロシア、ウクライナがんばれ」一色に染まり、経済制裁だと叫んだわけです。先進主要国が経済制裁をすれば、途上国も同調し、ロシア経済はあっという間に干上がってしまい、戦争継続ができなくなる。プーチン大統領は退陣に追い込まれ、クーデターが起こり、「ロシアは分裂するだろう」と主張する政治学者もいた。

しかし、ロシア崩壊説はまことしやかに唱えられただけ。何一つ、これらの予言は実現しなかった。一体彼らは何の専門家なのでしょうか。ロシアの経済は今、好調ですよ。成長率も高い。逆に先進国は、戦争の影響で資源高や農作物の価格高騰の影響で苦しんでいます。

植草　崩壊の可能性があるのは、むしろ西側諸国だと。

白井　先進国グループであるG7体制（アメリカ、カナダ、フランス、イギリス、ドイツ、イタリア及び欧州連合、日本）がそもそも、途上国に命令する力を失ってきています。それだけアメリカの覇権が落ちたわけです。かたやロシアは調子がいい。

植草　国際原油価格は、2022年2月に1バーレル130ドルまで急騰《きゅうとう》しました。ロシアは原油立国ですから、原油価格が上がればロシアにとってプラスになる。西側諸国が「ロシアに対する原油の取引価格を人為的に下げる」と叫んでも、実現するわけがない。結局原油価格は80ドル水準まで下がりましたが、比較的高水準で推移しています。

一方でロシアも、戦乱によって大きな軍事支出を強いられ、政府の財政負担は拡大しています。ロシア経済も今回の戦争で、厳しい影響を受けている側面は否めない。

白井　相当な人的な犠牲が出ていますし、お金の面でも、人の面でも、長期的には厳しい影響が出てくるのはたしかです。今後、どう展開するとお考えですか。

植草　深刻度を増すのはロシアではなく、ウクライナでしょう。ウクライナでは戒厳令を敷き、人権を完全に抑圧している。成年男子に対して、国外移動の自由を奪い、国内の政治活動・政党活動もほぼ禁止されています。徴兵忌避《きひ》を目的とした腐敗も広がっているそうです。

白井　それは間違いないと思います。ゼレンスキー政権は国家総動員令を執行していますが、どこまでもつのか。

それにしても、ウクライナ国家の先行きは大変憂慮されます。そもそも混乱を極めていた国です。少子化と国外脱出による人口減少も進んでいて、若い人が足りなかったところに、この戦争と総動員令です。このまま闘い続ければ、国家の消滅に向かいかねません。

植草　アメリカにおいても、今年（2024年）11月に大統領選挙を控えています。共和党は軍事支援に対して後ろ向きで、トランプ元大統領が大統領にもし再選されたら、すぐにウクライナ戦争を終結させる意向を示している。ヨーロッパ諸国も、ウクライナに対する軍事支援に二の足を踏むような状況になっています。

こうしたなか、ロシアが今年の夏にかけて、さらに大きな反転攻勢をかける可能性が指摘されています。そうなれば、ウクライナが敗北という形で決着をつけざるを得ない。アメリカ議会が巨額の支援追加を決定したため、膠着《こうちゃく》状態がさらに長期化する恐れを否定できませんが、戦争の長期化は現地の人々の苦しみを増幅するだけでメリットがありません。

白井　ロシア国内は、短期的にはかなりうまくいっている。ただし、この戦争が長期的にロシアにどういう影響を及ぼすのか、そこはまだわかりません。長期的視野に立つと、ウクライナ戦争がロシア国内の民族問題を再燃させると僕は見ています。

植草　ロシアの内戦になる。

白井　最悪の場合、その可能性が出てきます。ロシア側にも相当な人的犠牲が出ていると言いましたが、ウクライナ侵攻の前線に投入されている多くが、囚人とロシア辺境の少数民族だという。ロシアは多民族国家ですから。モスクワやペテルブルクといった都市部で暮らすマジョリティの若者や住民は、前線に投入されていない。大都市でもテロに遭う可能性は出てきていますが、前線に送られ、命の危険に遭う恐れを抱いていない。

植草　だから、プーチン氏は支持され続けているともいえます。

白井　この不平等が、どのような不満を醸成することになるのか。それが長期的にはロシアを揺るがせる可能性があると思います。旧ソ連邦も民族問題に対処できなくて崩壊したわけで、容易ならざる問題であるはずです。

ウクライナ戦争の2番目の敗戦国はドイツ

白井　戦争そのものの帰趨《きすう》について言えば、ウクライナの事実上の敗北、ロシア側に有利に決する可能性が高い。

植草　そこは私も異論はありません。

白井　では、もしそうなったら、ウクライナに次ぐ敗者はどこか。僕の考えでは、ロシアではなく、ドイツですよ。ドイツは、ＥＵ・ヨーロッパ諸国の中核国です。ヨーロッパからロシアへの一番開かれた窓だったとも言えます。

ドイツは経済的利害を目的に、ロシアと緊密に結びついた。ロシアとバルト海の底に天然ガスのパイプライン、ノルドストリーム（ノルド・ストリーム社所有）を、何本も敷いたことも、経済的利害を緊密に結びつけました。同時に、政治的にヨーロッパがロシアを受け入れる、その先頭にドイツが立つという意思表示でした。元独首相のシュレーダーがこのガスパイプラインのノルド・ストリーム社（ロシアのガスプロム子会社）の会長を務めていたのは、その象徴でした。

植草　ドイツの凋落《ちょうらく》は同感です。ドイツはロシアの天然ガスを必要とし、ロシアとの関係を重視してきました。ミンスク合意もドイツのメルケル首相（当時）が、中核的な役割を果たしたとされてきました。ところが、ミンスク合意の意味を全面否定する発言をメルケル前首相が示して、ドイツの国家としての信用も暴落する現象が広がりました。ドイツとロシアの関係を、無《む》に帰《き》すことになりかねない状況でしょう。

白井　アメリカがロシアに対してどんな姿勢を取るにせよ、ヨーロッパ諸国にはそれぞれの利害があり、主体性を持ってロシアと対峙《たいじ》する。ドイツもそう。経済的にメリットもありますから、ドイツは、ロシア産の安い天然石油ガスで製造業を支えることができる。国内で余った分を、ヨーロッパの西側や南側の国々に売ることもできる。そういう方針でやってきました。

ところがロシアとウクライナが正面衝突したことによって、この方針が破綻《はたん》した。ですから、紛争勃発《ぼっぱつ》時のドイツの右往左往は見るも無残なものでした。最初は「気の毒なウクライナ。ヘルメットでも送っておけ」だったのが、ウクライナの抵抗が粘り強いと見るや、「これではいけない」となって、対戦車砲ジャベリン、ついには最新型の戦車まで送るということになりました。このプロセスは、これまでドイツが追求してきた外交路線が劇的に破綻したことを物語るものです。しかし、ドイツの政治家はこの敗北を認めようとしない。前首相のメルケルがその典型ですが。

植草　メルケルは、ミンクス合意に対しても信じがたい対応をしました。「ミンスク合意」を無視して、ドイツとフランスはウクライナに武器を供給したわけです。

白井　先ほどヤクザの抗争にたとえましたけど、ロシア組とウクライナ組がひどい抗争状態になった。そこに親分格のドイツ組とフランス組がやってきて、手打ちをさせた。

植草　ミンスク合意という形でね。

白井　それなのにメルケルは信じがたいことを言った。「ミンスク合意はウクライナが防衛力を強化する時間を確保するためのものだった」（2022年12月7日付・ドイツ誌『ツァイト』インタビュー）と発言しました。

植草　プーチンがその話を聞いて「（ドイツに）失望した」と発言しました。

白井　メルケルは「ロシアに罠《わな》をかけるためにミンスク合意の立合人《たちあいにん》になった」とまで言ったわけですよ。

植草　ミンスク合意については、ドイツが中核的な役割を果たしました。ロシアとウクライナ、そして、東部の2つの共和国（ドネツク人民共和国、ルガンスク人民共和国）です。ドイツとフランスが仲介を果たして締結した。ただしその裏側に、大ボスの大きな組があって、そこにある種のお伺いを立てていた形跡がある。

もし東部2州に高度の自治権を付与すれば、ウクライナのNATO加盟は自動的には消滅します。それが確約されたために、ロシアはミンスク合意を呑《の》んだ。ウクライナがミンスク合意を誠実に履行《りこう》していれば、ロシアによる軍事作戦の実行はなかった。

白井　ミンスク合意が破綻してしまったので、ロシア組とウクライナ組は、またぞろ抗争を再開させた。仲介したドイツ親分とフランス親分は顔に泥を塗られた。親分が貫禄《かんろく》を見せるためには、抗争をもう一度やめさせることが肝心ですよね？

植草　なるほど、わかりやすいたとえです（苦笑）。

白井 ようするに、手打ちが破られたわけだから親分としてのメンツを潰《つぶ》されたわけです。だから、ここは親分として両者に対して怒らなければならないのに、メンツが潰れたことを否認しているから、「そもそも自分は誠実な仲介者ではなかった」という最悪の言い訳をしている。今後誰が、外交の舞台でドイツを信頼するというのでしょうか。

そこで今度は、アメリカの大親分が出張ってきた。ドイツ親分とフランス親分は、「アメリカの親分、ここは一つよろしく」ともう丸投げです。つまり自分たちは親分格ではない、と自ら認めてしまったわけです。

植草 アメリカの顔を立てる意味では、ドイツが日本化しています。

白井 その通りです。ドイツの日本化です。東方外交は、ドイツの独立性、ヨーロッパの独立性を正面からうち立てるためにやってきたはずです。それがこの戦争発生によってぶっ壊れた。ノルドストリーム爆破事件(2022年9月)が起きて、その下手人はアメリカである気配が濃厚です。同盟国によって市民社会を直撃するような破壊行為をされたことに対しても、ドイツは何らものを申せていない。ドイツの哀れなまでの凋落が見てとれます。

植草 ミンスク合意の大きなポイントは、国連の安保理で決議されたことです。決議の条件は、基本的に常任理事国が拒否権を発動しない、アメリカが同意することが決議の条件になる。実はアメリカは、ミンスク合意を容認したのではなく、もっと別のことを考えていたのではないかと私は考えます。

白井　ミンスク合意の時点では、オバマ政権（民主党、２００９〜17年）です。

植草　そのあとトランプ政権（共和党、２０１７〜21年）となり、２０２０年の大統領選でバイデン政権（民主党、２０２１年〜）が誕生。２０１９年５月に、ゼレンスキー氏がウクライナ大統領になる。ゼレンスキー大統領は、ミンスク合意を履行して東部和平を確定する公約を掲げたものの、ウクライナ国内の民族主義者から突き上げを食らって立往生した。

バイデン主導でウクライナ戦争が進展したと考えるとメルケル氏自身の力不足はその通りなんですが、背後にいるアメリカを間接的に批判した部分もあったのかな、と同情する部分もありますす。ウクライナ問題の根源はやっぱり、アメリカのバイデンを中心とした政権にありますから。

崩れゆくアメリカ一極支配の構造

植草　ロシアへの経済制裁では、西側諸国が取引を停止しても、中国、インドがロシア産の原油を大量に購入しています。これがロシア経済を基本的に支えている。

白井　それでロシア経済は十分に持ちこたえている。

植草　株価も絶好調とは言えないが、比較的堅調です。西側が垂れ流した「ロシア経済は崩壊する」「プーチンが退陣する」「プーチンは病死する」といった情報は完全にデタラメ。

白井　ウクライナ・ロシア紛争のインパクトとして、僕はもう一つ付け加えたいんです。ロシアがへたばっていない理由として、アメリカをはじめとする先進諸国は、参加銀行間の国際金融取引の決済システム「スイフト」からロシアの金融機関などを排除して潰《つぶ》そうとした。

しかし現にロシアは潰れていない。スイフトからの排除への対抗措置として、ロシアは「ルーブルでしか石油と天然ガスは買えません」と決定した。経済制裁を食らった焦りから外貨準備が不安になって、資源と引き換えに外貨を求めるかと思いきや、正反対の手を打ってルーブル暴落を回避しました。通貨防衛に成功したわけで、この判断はすごいと思います。

植草　世界の人口比で言うと、8割の国がロシアへの経済制裁に参加していない。アメリカの一極支配そのものが、終焉《しゅうえん》の方向に向かっているとも言えます。

白井　アメリカの一極支配を支えてきたのは、ドルと軍事力でした。ニクソンショック（1971年の米国ニクソン大統領の発言に端を発する騒動）以降、金とドルの兌換《だかん》が停止されました。金による価値の裏づけが失われた米ドルの価値を担保してきたのが、いわゆるペトロダラー（オイルマネー）体制です。

これによりドルは基軸通貨の地位を保ってきた。「石油を買うためにはドルが必要であり、したがってどんな反米国家でもドルを欲する」という状況を維持することで、ドルの価値をずっと防衛してきたわけです。これがアメリカの豊かさ、強さの源泉だった。

植草 アメリカのドル基軸体制は、そう簡単に消えてなくなるわけではない。ただ世界における主導的地位、世界の覇権を握ることを考えれば、経済力と軍事力の2つが根幹にあるのはたしかです。

白井 そう考えると、アメリカのこれまでの軍事行動も説明がつく。なぜ、あれほど支離滅裂な理由づけをしてイラク戦争（2003〜11年）をやったのか。フセインの独裁政権をアメリカが危惧《き》したわけではなく、フセイン元大統領がユーロを盾に石油取引決済の方法を変えようとしたことが決定的だったと思うんです。

先ほどのドル決済からの排除に関連して言えば、米ドルが世界の基軸通貨であり続けている最重要の要素がペトロダラーであり、もう一つが取引コストの安さです。世界中で使われるからこそ、どの通貨よりも国際取引におけるコストが安い。だからドルが受容／需要されてきた。その米ドルの基軸通貨性が、徐々に揺らぎ始めてきている。

中東では、サウジアラビアがはっきりとアメリカから離反し始めている。アメリカを中心とするG7体制の世界支配の終焉がだんだんと見えてきました。

植草 まさにアメリカが主導する世界体制、アメリカ一極支配の構造が趨勢《すうせい》として崩れつつある。経済力と軍事力、とくに経済力においては、アメリカが世界第2位に転落し、中国が世界第1位に浮上するのは時間の問題です。アメリカは常に№1でなければならない強迫観念を持っている国ですから、それに対するさまざまな波紋、軋轢《あつれき》が生じてくる。

白井 その文脈で考えると、グローバル南北戦争というべき恐ろしい状況は生まれつつあることは否めません。

植草 通貨の問題は、とくに重要です。ロシアが2022年のウクライナ侵攻の開始当初、自国の経済混乱にどう対応したか。とても注目すべき点です。一つは、ロシアがルーブルと金との交換性を回復させた。もう一つ、ロシア産原油の取引をルーブル建てにした。これらの政策を打ち、結果的にロシアの経済危機を乗り越えた。ロシアにおけるブレーンの存在、政策立案能力が基本的な能力において極めて高いことが示されました。

人民元への信頼を高める中国の思惑

白井 経済面における中国の動きと思惑について、お考えをお聞かせください。

植草 中国は今、かつての日本のようなバブル崩壊、金融の不安定性に直面しています。中国当局も、この問題を深刻に受け止め、研究しているはずです。

不動産と金融のような非製造業が非常に悪化しています。かたや製造業は持ちこたえている。

習近平体制はかつての経済成長一本槍《いっぽんやり》の方針を示してはいませんが、経済政策に関する立案能力は非常に高いとの印象を私は持っています。サウジアラビアと石油の取引においては「ペトロ人民元」構想（原油市場における人民元建ての巨額決済）を打ち出しています。

ドルが世界の基軸通貨として用いられている大きな背景の一つに、取引コストの低さがあります。中国政府は、この視点を最も積極的に取り入れています。デジタル人民元になれば、取引コストの圧倒的な低下をもたらすことが技術的に可能です。そうなれば、人民元の使用の比率は世界レベルで上がります。

白井　ロシアが、経済制裁の対象になったことにも関係しますよね。

植草　ロシアが活路を見出すグローバルサウスを中心とした国々に、取引の中心を移す。その取引が人民元やルーブルになれば、世界経済のなかでドル取引の比率が大きく低下します。そうなると、世界の基本構造がアメリカ一極化から多極化の構造に動いていく。

白井　中国も、ロシアも、したたかですよ。両国を封じ込めるはずの西側の戦略も、うまくいっていない。

ここで初歩的な質問をしたいのですが、それはデジタル人民元をめぐるものです。デジタル人民元の何が新しいのでしょうか。すでに多くの国で通貨発行は事実上バーチャルになっています。たとえば、日本の異次元金融緩和政策にしたところで、日銀も市中銀行も財務省も、数字のやり取りを行っているだけです。マネタリーベース（日銀が世の中に直接的に供給するお金）を増やした分だけ、日本銀行券を刷ったわけではない。

植草　たしかに金融の取引そのものは、現物取引ではないです。帳簿上の取引、デジタル取引と言い換えてもいい。

白井　そう考えると、通貨はすでにバーチャルなものになっていて、電子計算機上の数字にほぼなりきっているのではないでしょうか。「デジタル通貨になると世界が変わる」と言われても、僕はちょっと感覚的によくわからないんです。

植草　日本の現状と比較すると、資金決済におけるデジタル化＝キャッシュレス化は、中国が日本をはるかに凌駕《りょうが》していると言えるでしょう。日本では依然として現金の取り扱い高は、それなりの水準を維持しています。現金通貨での取引需要があるため、預金の保有者が金融機関に行って現金を引き出し、それを用いて取引をする。日本においてはそのウエイトが一定比率を依然として占めています。

これと比較すると中国は、一般的国民の通常の商取引においても、現金取引の比重が大きく下がり、全面的にデジタル取引にシフトしています。中国のこうしたデジタルマネーの金融取引技術の発達が、中国人民元への信頼度を高めている側面はあるのではないでしょうか。人民元を決済通貨として用いることに対する心理的バリアが、引き下がる効果があると思います。

一貫性のない日本の対ロシア経済制裁

白井　日本にとってロシアは隣国で、ウクライナは遠く離れた国です。

植草　それだけ日本とロシアは大きな利害関係を持っています。北方領土の問題もあり、ロシアと友好関係を構築することのメリットは極めて大きい。ウクライナとどんな関係になろうと、ロシアに比べれば圧倒的に影響が小さいのです。でも、日本の外交はアメリカの言いなりでしかない。そのために失っている国益があまりに大きい。

白井　日本としては、アメリカが拳《こぶし》を振り上げ、「ロシアをみんなでやっつけよう」と言い出したら従わざるを得ないと考えられている。

植草　だから経済制裁にも加わった。

白井　ところがです、経済制裁を真面目《まじめ》にやっているのか。そこがどうも怪しい。たとえばロシアの水産物の輸入は、一時的に停止したものの、現在は再開しています。ロシア産の蟹《かに》は、いくらでも食える状況です。

輸出に目を転じると、ロシアでは海外からの医薬品の輸入が停止され、そこにうまく入り込む形で、ロシア向けの医薬品の輸出が増えている。困っているのはロシア産の建築用木材です。輸入が止まっており、コロナ禍の影響でそもそも上昇していた建設コストに悪影響を及ぼしていると考えられます。

植草 たしかに一貫性がなく、日本の制裁対応はちぐはぐです。

白井 水産物の輸入業者は、自民党にたくさん付け届けをしているのか（笑）。材木の輸入業者は、付け届けの額が足りないのか。よく言えば、日本はしたたかにやっている。表面上はアメリカの顔を立てつつ、経済的にはロシアともしたたかに付き合っている。しかも、誰か司令塔がいて、「裏ではロシアとうまくやろう」と強固な意志を持ってやっているようにも見えないのです。

植草 日本の官庁が個別の事情で対応しているんでしょう。経済制裁に穴が開いていることは、日本にとって悪いことではありません。ロシア産の建築資材の輸入を再開し、国内の価格高騰を冷やすほうがメリットは大きい。現実に即して対応すべきことは当然です。

問題は、日本とロシアの外交関係です。日本は明らかにロシアと敵対する側に足場を取ったので、外交関係が冷えきってしまった。北方領土問題についても一部進展がこれまであったのに、ほぼ振り出しに戻る状況になった。

日本独自の判断で情勢を分析し、判断して、日本の利益にとってプラスになる外交方針を決めるのではなく、アメリカが決めたことに従っているだけ。そうした外交姿勢が、日本の全体の国益を大きく損なっていると言えます。

中東問題に見るアメリカの矛盾

白井　パレスチナのガザの問題にも目を向けたいと思います。パレスチナ／イスラエルの紛争についてどういう立場を取るかという点において、ウクライナ紛争と同様の構図が現れてきています。

植草　パレスチナ暫定《ざんてい》自治区のガザ地区では、ハマス（同地区を実効支配する武装組織）による突然の攻撃（2023年10月7日〜）で、大きな戦乱が発生しています。イスラエルの横暴は別の問題として、この状況が発生したことでウクライナ戦乱が相対化されたと私は考えています。ロシアがウクライナに軍事侵攻した時点では、ロシアの絶対悪、ウクライナの絶対善の図式ですべてが片づけられた。

白井　そうですね。パレスチナとイスラエルの問題が表面化したことで、ウクライナ問題に対する見方が日本でも少し変わったかもしれません。どちらかが絶対的に善で、他方が悪だというような単純に過ぎる見方を疑うきっかけになっている。

植草　イスラエルが絶対悪で、パレスチナが絶対善とも考えられる。そのなかでアメリカは、パレスチナの側に立つのか、イスラエル側に立つのか。可視化される状況が生み出されてしまったため、ウクライナ問題に対する国際社会の目も変わってしまった。

白井 そもそもアメリカは、中南米、東南アジア、中東で何をしてきたのか。その歴史もありますから。「イラクが大量破壊兵器を持っている」と難くせをつけて侵略し、イラク戦争を始めた。その結果、イラクの文民に数十万人から100万人を超える犠牲者が出たと言われています。このとき西側のメディアは、軍事侵略を受けたイラクという図式ではまったく報道しなかった。

植草 ベトナム戦争（1955〜75年）をはじめ、これまでの圧倒的多数の戦争は、アメリカを代表とする軍産複合体の利益のために、人為的に創作された戦争でした。他方、中東における戦争は、民族・宗教問題を根源とした戦争、ある種の「必然の戦争」という側面があります。その意味でイスラエルとイランとの本格的な戦闘が懸念され、それが第3次世界大戦を誘発しかねない。

白井 それが想定される最悪の展開です。今のところ、両国はメンツを押し立てつつ、破局的な戦争にならないよう、自制的に限定された攻撃をしている、という実に微妙な状態です。

植草 不安定化する世界情勢、戦争を取り巻く状況のなか、これに歯止めをかけている大きな要因が、実はロシア戦乱の限定化です。今回のウクライナ戦乱において、中国、インド、イランの自制的な対応が事態の悪化に歯止めをかけている。

むしろ核戦争なり、第3次世界大戦の危険性を高めているのはアメリカです。それをかなり慎重に制御し、コントロールしているのがグローバルサウスの国々であるとの図式が成り立ちます。

白井　中東のとりわけパレスチナを中心に研究している日本の研究者が、「本質を見誤ったらいけない。これは（イスラエルによる）植民地的暴力だ」と京都大学で開催されたシンポジウムで言っていました。

ガザの問題によって、イスラエルのかなりショッキングな実像が明らかになりました。パレスチナ人が住み、独立を求めていた地域にシオニスト（イスラエル再建・復興を掲げる「シオニズム運動」の人たち）たちが入ってきた。彼らがイスラエルを建国（1948年5月14日）し、4次にわたる中東戦争、レバノン内戦などを経て、自分たちの領土を広げてきた。そして、パレスチナ人をヨルダン川西岸地区とガザ地区に封じ込めた。

植草　暴力を口実にして、領土を拡張してきた。

白井　長期的には共存の方法を見出す、人間のヒューマニズムを発揮して妥結点を見出すのだ、という気持ちが多くのイスラエル国民にあると思っていました。世界中の多くの人々が同じ見方をしていたと思います。

しかし、それがとんでもない誤解だったと思わざるを得ないような、イスラエルの実情が今明るみに出ています。TikTokなどで世界中に拡散されていますが、イスラエルの若い兵隊が、今回の軍事作戦から戻り、男も女も笑いながら、パレスチナの子どもたちを虐殺したことを楽しげに語っている。吐き気がしました。

事ここに至っては、一部の極端に変な人たちの問題だとは到底見なせないでしょう。イスラエルがやってきた政治のあり方、国家のあり方の申し子として、そういう残虐性《ざんぎゃく》が表れている。今回も、2023年10月7日のハマスの攻撃に対して、イスラエルのネタニヤフ首相は「あいつらは人間じゃない。獣《けだもの》だ」と言い切って、パレスチナ人のジェノサイドを実行している。

これによって世界の世論は大きく変わってきたと思います。これまでの世界のイスラエル認識の背後には、ユダヤ人に対するナチスの迫害、それに先立つヨーロッパにおける反ユダヤ主義、ユダヤ人迫害（ポグロム）の歴史がある。ユダヤ人が背負ってきた歴史があまりにも過酷であり、それがイスラエルへの同情心にもつながった。

ところが残虐な映像が大拡散されることによって、同情心のパラダイムが吹き飛ぶ状況が生じてきています。その証拠に、若年層を中心にヨーロッパやアメリカでは、かつてないほど反イスラエル、反シオニズムの運動が広がっています。パレスチナの解放を訴え、パレスチナとの連帯を主張している。

植草　この問題が表面化したおかげで、アメリカのダブルスタンダードが鮮烈に明るみに出たと言えるでしょう。ウクライナの問題で正義面を振りまいていたアメリカが、イスラエルの問題になると悪魔の擁護者に変身している。ウクライナ問題で世界に振りまいていた正義論が薄っぺらなおためごかしであったことが、白日の下に晒《さら》された。アメリカの威信は低下し、今後はアメリ力の正義論に耳を貸さない状況が強まることになるのではないでしょうか。

白井　若年層が「おかしい」と声を上げているのにもかかわらず、エスタブリッシュメント（支配階級）の権力は、シオニズム批判と反ユダヤ主義を意図的に混同させ、いかなるイスラエル批判も許さなくなった。アメリカの大学では、大学教員がクビになったり、学生運動が過酷に弾圧されるなどひどい状況が出現しています。

こういう経緯が本物の歴史的な反ユダヤ主義が欧米で復活する伏線にならないか、僕はとても危惧《きぐ》しています。というのは、今回見せつけられているのは、欧米でのユダヤロビー（アメリカにいるユダヤ系市民による政治・市民活動）の権力の強さです。「暴力は許せない」というまっとうな声を封じ込め、大学人などの社会的地位を自由自在に奪うことができることを示しました。

反ユダヤ主義陰謀論は、ユダヤ人たちは社会を左右する特別な力を持っていると主張してきました。今回の動きは、あたかもこうした陰謀論の証明であるかのごとくで、反ユダヤ主義に正当性を与えかねない。長期的に見てユダヤ人たちにとっても、とても不幸な結果を生むとしか思えません。

アメリカに従属するばかりの日本

植草　初代ロスチャイルド（ユダヤ人富豪）の「世界革命行動計画25ヶ条」（1773年、世界の富や権力を統一するための行動指針）と称されるものに、少数による世界支配の構想が書かれています。この文書の真贋《しんがん》は不明ですが、世界統一市場構築、ワンワールド構想を理解する上では大いに参考になる文書ではあります。世界を支配するとき、支配される側を表現する言葉として「ゴイム」（Goyim）が使われます。日本語にすると「奴隷」「精神的に無自覚な動物」「獣」。

白井　つまり人間じゃない。

植草　ユダヤのひと握りの勢力が、他の人間ではないすべてを支配する。この表現を彷彿《ほうふつ》とさせるイスラエルの行動です。相手が人間でなければ、虐殺してもかまわない。白井さんは「植民地的暴力」と表現されましたが、ネタニヤフ首相の発言とイスラエルの軍事戦略の展開は、まさにその有言実行です。

　これに対する世界的な批判の沸騰《ふっとう》があり、かたや白井さんが言われたようなアメリカ社会における反ユダヤ主義弾圧がある。シオニズムを推進する勢力、あるいは反ユダヤ主義を封殺する勢力にとって、こうした状況は必ずしもプラスになるとは見えません。

現在のアメリカは、ユダヤ人の影響を強く受けた勢力が権力を牛耳《ぎゅうじ》っている。そのために残虐《ざんぎゃく》な軍事作戦を徹底批判してきたアメリカ政府が、イスラエルに対しては批判を自制するという鮮烈なダブルスタンダードが白日の下に晒《さら》されています。このダブスタがアメリカ国内においても、激しい批判に晒される状況が生まれつつあることは注目に値します。

それにもかかわらず、イスラエルが残虐行動をあえて拡大させている意味を考える必要がある。「ウクライナ善、ロシア悪」の図式を中心にアメリカがイスラエルの非人道的な行為に対してブレーキをかけないとすれば、批判はアメリカの側に向かう。今まで築き上げてきたものをすべて失い、アメリカ大統領選挙にも影響を与えてしまう。誰が大統領になろうと、解決されない問題です。これがアメリカの国内における分裂、分断をさらに進行させる原因にもなりかねない。

白井 イスラエルへの世界の批判がこれだけ高まっているなか、また再びドイツは敗北しようとしています。イスラエルの暴挙に対して、ドイツはまたもやフリーズしている。

植草 そうでしょうね、ユダヤの問題ですから。

白井 絶対に批判できません。たとえば、若手論客のスターと呼ばれているマルクス・ガブリエル氏（ドイツの哲学者）はイスラエル擁護です。長老のユルゲン・ハーバーマス氏（ドイツの社会哲学者）も同じくです。戦後ドイツ思想の限界を露呈しています。ホロコーストを絶対悪と見なし、歴史に対峙《たいじ》してきたドイツの左派、リベラルの思想がはらんでいた限界の性質が見極められなければなりません。

ドイツは戦後、イスラエルが数々の戦争を引き起こし、国の生き残りを画策するなか、対イスラエルとの武器ビジネスを積極的に進めた。イスラエルが大きく、強くなることに戦後の旧西ドイツは貢献しました。イスラエルを擁護することは、倫理の皮をかぶったビジネスだった面が多分にある。イスラエル擁護を通して植民地的暴力を「倫理のオブラート」に包んで実践してきた。偽装した形で帝国主義を事実上持続させてきたと言えます。

植草 日本の左派、リベラル層も限界が露呈《ろてい》していますが。

白井 はい、ウクライナ紛争をめぐって露呈しましたね。帝国主義への認識があまりに甘いです。

植草 パレスチナ問題について、日本の立ち位置については、どのようにお考えですか。

白井 日本はオイルショック以来極端にイスラエルに肩入れをせず、バランスよく対応してきたというのが、大方の評価だと思うんです。ただしそこに、日本の主体性や信念があったのかどうか、そこはかなり怪しい。

アメリカとイスラエルに肩入れしすぎると石油が入ってこなくなる。それでは困るから、アラブ側にも色目を使っていただけ。そこに信念はありません。安倍政権以来、安全保障力、端的に言えば軍事力ですが、それを向上させるためにも、イスラエルの軍需企業との提携を積極的に進める必要があった。パレスチナのガザの状況に直面し、日本はどうするのか。全然腰が定まっていない。

植草　本来は日本が、ウクライナの問題についても、パレスチナ問題についても、どちらかに肩入れするのでなく、国際政治の正義の視点から見解を示すべきです。ミンスク合意の問題一つとっても、日本独自の見解を表明すべきだった。

ところが日本政府は、アメリカに単に従っているだけ。それを今の日本政府に期待しても、無理でしょう。単にアメリカの命令に服従し、そこには外交上の選択も思慮も考察もない。

白井　日本が完全に「親イスラエル」と見なされたら、1970年代の2度のオイルショックの再来になりかねない。「私たちはイスラム世界の友人でもあります」と言うしかない。違う価値観で両者を調停する腰の据わった主体性は、今の日本にはまったく感じられません。現にこの間、日本はアメリカの圧力を受けて、イランの石油権益を放棄しました。しかし、その権益は中国に受け継がれただけなので、イランの核開発を抑止する意味なんかないのです。ただ単に損をしているだけです。

植草　安倍内閣以降の軍事装備品の取引などにより、日本とイスラエルの関係は深まりました。アメリカの軍事産業とイスラエルの関係も極めて深い。日本がイスラエルの関与する軍事装備品を積極的に購入する必然性は、もともと存在していません。しかし、イスラエルとは、そうした取引関係がある。軍事政策上の機密事項とも絡んできますが、そのためにイスラエルに対してものが言えなくなるのは正しくありません。

白井　日本はアメリカと一体化し、アメリカに顎《あご》で使われて自ら血も流そうという方向にひた走っています。日本の権力の中枢部は、もうそれでいいと思っている。けれども違う考え方、やり方だってあるはずなのに、それを想像することすら放棄しています。

植草　ウクライナ問題にしろ、パレスチナ問題にしろ、日本がどこに従属するかということではなく、正義と公正の視点でものを言うべきです。

日本のポジショニングはどこか？

植草　G7体制における日本の立ち位置について、白井さんはどのようにお考えですか。

白井　日本は、白人国家が主流派のG7体制では新参者です。日本は19世紀後半にペリーなどから「開国しろ」と迫られ、近代の世界資本主義と国際秩序に強制的に投げ込まれた。

植草　つまり明治維新。

白井　あれはもう、ギリギリのタイミングでした。もう少し開国が遅れていたら、日本と先進国の間での政治機構と技術水準の差が、あまりに大きく追いつけないものになっていたはずです。そうなると日本は、植民地化されるしかなかった。でも、なんとか間に合った。封建秩序を壊し、近代国家の建設へと向かい、自前で工業力と軍事力を整えていった。

このタイミングに間に合わなかった国々が、搾取される側に押し込まれ、開発途上国、発展途上国、かつては「後進国」と呼ばれる存在になったわけです。これらの国々は、植民地支配されただけでなく、先進国による帝国主義戦争のとばっちりを受け、現地の人もたくさん殺された。第1次世界大戦、第2次世界大戦が終わり、形式的には独立したものの、経済的には旧宗主国に従属せしめられ続けている国が今も多い。

日本は、第2次世界大戦で侵略戦争をやり、罪なきアジアの人たちに大変な損害を加えた。その末にコテンパンにやられて、敗戦国になった。ところが戦後わずか数十年で、先進国の仲間に復帰をして、戦前よりも高いポジションに上がった。これは19世紀に近代世界に参入した日本の特権だったと言えます。敗戦国にも関わらず、世界のグローバル市場を支配する側に立つことができたわけですから。

植草　植民地支配の側にギリギリで滑り込み、特権を得た。戦争に負けたけれど、わずか30年くらいで取り戻せたのは、その特権の遺産が生きていた証《あかし》かもしれません。しかし、そんな日本の背後には常にアメリカがいた。さらに言えば、そうした「日本の特権」を成り立たせた世界の構造が今、揺らいできている。バブル崩壊の1990年から30年が経ち、アジアでは日本だけがずっと没落してきています。どうも世界の特権グループから、日本は脱落し始めている印象を受けます。
一方のグローバルサウスの側から見れば、５００年ではないにしても、日本は１５０年くらいのスパンで世界の恨みを買っている存在です。先進国グループでもなくなり、グローバルサウス側からも弾《はじ》かれて、日本は世界から孤立していく。『イソップ物語』の鳥からも獣からも仲間はずれにされるコウモリ（『鳥と獣とコウモリ』）みたいな感じです。

白井　旧宗主国による植民地支配と暴力は、古くは15世紀半ばから17世紀半ばの大航海時代から始まっています。それこそ５００年スパンでの恨みつらみが白人に対してあります。それに比べると日本は、植草さんが言われた通り、せいぜい１５０年スパンでしか恨まれていない。マシであるとは言えましょう。

植草　しかも日本は、村山富市《とみいち》総理（当時）による「村山談話」（１９９５年8月15日）で過去の侵略と植民地支配について、心からの反省とお詫《わ》びの意を表しています。そこで一種の和解をしてきた。

白井　その「村山談話」を否定する動きがこの20年の間に、強まってきて、歴史修正主義が流行してきているのは、まことに愚かしいことです。到底通用するわけがありません。歴史修正主義の傲慢《ごうまん》な歴史観は、国力の格差があったからこそ主張できたのです。それが縮まれば、より深刻な反撃を喰《くら》うのは当然のことです。

植草　そこは原点に立ち返って過去の侵略戦争、アジアなどへの植民地支配について日本がどういうスタンスを取るのか、改めて表明すべき時期です。その上で日本は、イスラエルの常軌を逸した暴力行為に対して、アメリカの顔色をうかがわず、独自の視点で良いものは良い、悪いものは悪いと訴えるべきです。

白井　でも、今の岸田内閣では到底できそうにありません。

植草　深海魚のように生きている間は、実現しそうにありません。

中国と台湾の背後にアメリカあり

白井　ウクライナとガザをめぐる問題も予断を許しませんが、気がかりな動きが極東、日本のそばでも起きています。いわゆる台湾有事の可能性です。植草さんのご専門である経済の側面から、まずは考えてみたいです。

台湾有事の危機が声高《こわだか》に語られるようになったきっかけとして大きかったのが、やはり一国二制度が保障された香港《ホンコン》に対する実効支配を北京が強権も発動して強めた事件だったと思うのです。その狙いは何であったのか。金融センターとしての香港、その中核には欧米の金融機関があったのでないか。これを排除するために、中国政府が香港を自らの版図《はんと》（一国の領域や勢力範囲）に収め、国のコントロールが及ぶようにしていく。背に腹は代えられぬから、国際的評判が悪くなってもやる強い意志が中国にあったと僕は推測するのですが、どうでしょうか。

植草　上海、香港、シンガポールと3つの大きな金融都市がアジアにあります。このうち香港がちょうど端境地点に存在します。香港上海銀行も香港が一つの拠点でしたから、国際金融センターとしての地位を確保してきたわけです。

白井　その香港の金融センターにおける欧米の金融機関、あるいはその後ろに控える国家の国益、それに対峙《たいじ》する中国の国益、ここに一体どういう構造があるのか。香港で起こったことの分析においてはそこが重要だと思うのです。

ひるがえって台湾の場合は、何が死活的利害として問題になっているのか。台湾の地政学的な位置のこともよく語られます。問題はそれだけではないように思われます。台湾の先進的な技術力、とりわけ半導体です。この権益を誰が握るのか。その支配権をどの国が掴《つか》むのか。ここでアメリカと中国の衝突があり、そのぶつかり合いが台湾で起きていると見ることもできそうです。香港で起きたこととの共通点、差異はどこにあるのでしょうか。

植草　香港に関しては一定程度、中国と異なる制度を温存しつつ、政治的な自由を相当剝奪《はくだつ》しました。国際世論の反発もあったものの、香港経済に対しては中国政府の思惑通りに事態が進行した。香港における金融機関の活動は残存していると思いますが、香港のアイデンティティは完全に中国のものになった。

台湾が香港と異なるのは、産業の中核自体が金融ではなく製造業、とくに半導体中心とした先端分野の製造業が台湾に集積しているからです。そこに中国政府も重大な関心を持っています。台湾の先端製造業産業は、中国本土と無関係ではありません。福建省《ふっけんしょう》などを中心に、台湾と中国本土とのサプライチェーン（製品の原材料・部品調達から販売に至る流れ）を含めた関係は極めて強い状況にある。中国政府としては、台湾の経済力を中国に内部化したい強い願望があるわけです。

白井 台湾は非常に優れた産業を保有していますから、その産業力を取り込むことを念頭に置いて中国政府が動く。そうなると、台湾で有事、大規模戦争を引き起こすメリットは中国政府にはない。産業が大きな打撃を受けてしまいますので。

植草 台湾の経済力そのものを温存しながら、国籍としては中国化する。その際にはどうしても、共産党一党支配体制にせざるを得ません。香港と台湾に対して、中国は同じような思惑で動いています。香港についてはほぼ達成できた。台湾はこれから時間をかけて、中国が戦術を遂行する段階でしょうね。

白井 そう考えたとき台湾有事はあるのか、ないのか。

植草 基本的に台湾に住む人たちは、戦争を望んでいません。その上で、かなり冷静にアメリカの動きなども見つめている。台湾の人々の民度の高さ、現状認識の高さがよくわかります。その一方で、中国の北京政府は台湾を中国の一部に取り込もうと極めて強い意志を持っている。その延長上は台湾の香港化ということになる。

白井 ただ、台湾と香港の大きな差は、台湾の場合、現実の上で中国から独立した国であることです。独自の国家機構を持ち、軍事力を有している。ただし、フルスペックの独立主権国家だとは主張しない。それを主張しないかぎりにおいて、中国は存在することを許してきた。そのような関係性ですね。

植草 問題は、中国と台湾における何らかの軍事衝突をアメリカが望んでいて、それを人為的に作り出すのかどうか。そこが有事が起こるか否かの鍵だと思います。アメリカは本土から遠く離れた所で、自国の武器弾薬を大量に使う戦争を起こすことに強いインセンティブを持っている。

白井 ウクライナがそうでした。アメリカは、ウクライナ内部の分裂に付け込んで政権への影響力を強め、その政権を誘導してロシアとの緊張関係を高め、戦乱へと導いた。

植草 中国政府としては、できればそうした軍事行動を伴うことなく、台湾の香港化を図りたい。そのための方策は、台湾政府を完全に親中国化にする。今回の総統選挙では民進党（民主進歩党）候補の頼清徳《らいせいとく》氏が勝ちましたが、得票率では野党の頼氏の得票率が40・5％。野党の民衆党（26・46％）と国民党（33・49％）の票が合わせて59・95％と与党を上回っています。その意味で中国政府は、台湾の中国化に一歩前進したと受け止めている。

白井　民進党であれ、国民党であれ、事実上の独立をどう維持できるのか。もちろん戦乱を回避した上で、というのが台湾の国民の最大公約数的な民意だろうと僕は見ているのですが。

植草　最終的には議会と総統を親中国派に差し替え、その政権に台湾の中国化政策を誘導する。これが北京政府のシナリオではないでしょうか。

白井　中国の国民も、台湾の国民も当面は「現状維持」が多数派の願いのはずです。僕自身もそう願っています。

しかし、長期的には予断を許さない状況です。この30年間、台湾の民主主義は根付いたものになりました。国民党の極めて強権的な一党独裁に対して民衆や知識人の抵抗が起き、大変な犠牲を払ってきた。こうして犠牲を払って獲得した民主主義だからこそ、何とかして守り抜きたいという意欲が強い。その意味で台湾の独立心は旺盛《おうせい》ですし、民主国家の理想をかなり真剣に追求しています。

中国に突きつける、台湾のアイデンティティ

植草　台湾政府が中国との友好関係を維持する範囲において、中国が軍事手段に踏み込む可能性は極めて低い。

白井　そう思います。ウクライナの例をとれば、裏にアメリカの工作があったかどうかは別問題として、中国がロシアのように攻め込むことは基本的にないと見ます。中国が悪い意味で、ロシアのやり方を学ぶとは思えません。

植草　ところが台湾政府がはっきり独立を宣言する事態になれば、中国は動きます。逆に言うとアメリカは、台湾政府にそのような行動をとらせる可能性がある。

白井　あっちこっちの集会で、台湾独立の旗を振りまくる集団もいます。しかし、それは台湾国内では明らかに多数派ではない。民進党も党綱領《とうこうりょう》では台湾独立を掲げているものの事実上、棚上げしている状態にあります。

植草　台湾の現在の政権も、中国と戦乱を引き起こすほどのインセンティブは持っていない。戦乱を回避することの優先順位のほうが高い。その範囲において突然、中国が攻め込んでくることはありません。

白井　ただそこは、とても微妙ではないでしょうか。台湾にも頑強な独立派はいます。民進党はそうした異端分子の存在を「困ったもんだ。黙ってくれ」と受け止めているのかどうか。僕は違うと思うのです。声高に台湾独立を叫ぶグループもいないと困る。それが北京政府に対するバーニングパワー（交渉力）になりますから。

植草　中国政府自体、台湾を中国の一部として取り込むことについて断念する気持ちは100%

ありません。中国としては、時間をかけて台湾の政治状況を変え、親中国の議会と親中国の政権を構築した上で、版図《はんと》化を実現する。そのへんのパワーバランスがどうなるか。

白井　この問題は政治のパワーバランスだけにとどまらず、中国国民の側にも問題があると感じています。来日している中国の留学生と話すと痛感しますが、彼らの台湾観は中国の教育の賜物なのか、危うい感じがある。ある種、台湾をすごく軽く見ているんです。「台湾は〝大日本帝国〟に支配され、その次はアメリカに援助してもらった。所詮《しょせん》は他人に頼った似非《えせ》独立国家に過ぎない。いざとなれば潰せばいい」と思っている節がある。これは非常に危険な思想であり、僕は大変危惧《きぐ》しています。

戦争は望まないにしろ台湾の人たちは、中国の一部に戻ろうと望んでいるわけでもない。アメリカや日本から命ぜられているのではなく自らの意思で、できるだけ独立した存在であろうとしています。そうした台湾の主体性や自立性を、そうした発言をする中国人は見ていないし、わかろうともしない。中国の留学生には「台湾に行って、実情を見てきなよ」とよく話します。

植草　主体性と自立性が高いだけではなく、台湾の人たちは合理的な国民性もあります。新型コロナへの対応をみても、とてもよくわかります。

台湾のコロナ対応は、とても有能だと世界で話題になりました。コロナが確認されてマスクが必要になると判明すれば瞬時に必要なマスクが市民に行き渡るロジスティックスを構築する能力も示されました。検査が必要であれば、必要十分な検査を執行する体制を瞬時に整える。政府のＩＴ活用能力もどこかの国のマイナンバーカードとは比べものにならない水準にあることが明らかになりました。

４月に発生した地震（花蓮《かれん》地震、４月３日）は、能登半島地震とほぼ同じ規模の地震でした。しかし、台湾では直ちに重機で倒壊家屋での人命救出が行われ、プライバシーを守る避難用テントが巨大避難所に張りめぐらされ、温かな食事も翌日から提供される現実を、私たちに見せつけたのです。日本は後進国の悲哀を、いやというほど見せつけられることになりました。

白井　社会の風通しがいい国ですよね。だから知恵が集まるし、活用できる。民主的なガバナンスが機能している。

もともと台湾は、民族的に複雑な地域です。漢《かん》民族の間でも、本省人と外省人の対立がありました。本省人は、かつての日本支配あるいはその前から台湾にいた人たち。日帝時代には、日本による教育を受けています。その後、蔣介石《しょうかいせき》らの国民党が逃げてきて権力を握り、その過程で本省人を先に述べたように暴力的に抑圧しました。彼らは外省人と呼ばれます。

もう一つがマイノリティ、「エスニックマイノリティ」である山岳民族です。かつての日本支配時代には、高砂族《たかさごぞく》と呼ばれていました。それぞれの部族は小規模で、それぞれ違う言語を持っていたりします。この人たちが近代になってから、差別的な地位に置かれ、強制同化措置と弾圧を受けた。日帝支配下では「霧社事件《むしゃじけん》」（1930年10月、セデック族が蜂起《ほうき》した抗日反乱事件）なども起きました。こうした差別は、戦後の国民党支配の中でも続きました。そのことを反省し、少数民族の文化、言語などを国家として保全することに現在の台湾はリソースを使っている。多様性を推進するリベラルな政策を打ったわけです。

つまり重要なのは、本省人と外省人、漢民族と先住民族といったアイデンティティの異なる集団の和解と融和を図る政策を、台湾が世界でも有数のリベラルで民主主義的な価値観に基づいて行ってきていることです。そうなると、台湾人のアイデンティティが確固たるものとして形成されて、自由民主主義が成功すれば成功するほど、事実上の国民国家としての台湾が成立してしまう。いくら正面から「われわれは独立国だ」と言わなくても、国民国家としての実態を持ってしまう。

そうなれば、北京からすると、ますます台湾を版図《はんと》に収めるのがますます難しくなる。台湾が良い国になればなるほど、「自分たちの国を守る」というモチベーションが高くなる。そのことを北京政府が許容しうるのか否か。台湾有事を見通す上では、それが一番の焦点だと言えると思います。

本当に「台湾有事＝日本有事」なのか

植草　はっきりしているのは台湾有事が起きれば、日本にとっても大変な悲劇だということです。

白井　もし中国が台湾に侵攻するような事態になれば、必然的に日本も巻き込まれます。

植草　そのとき、日本がどういう立場をとるか、非常に難しい問題です。

白井　日本の国民感情を考えても、とても心配です。ロシアがウクライナに軍事侵攻して、それほどの強いつながりがあるわけでもないのに、日本人はウクライナの人たちに同情しました。それは人間として無理からぬ反応だと思うのです。

もし台湾が火の海になるようなことになれば、日本人の感情的動揺は凄《すさ》まじいものになるはずです。日本人と台湾人の関係はウクライナとは比べ物にならないほど深いですから。家族、親戚《しんせき》縁者、友達などが台湾にいる日本人はかなり多いですよね。ですから一方的な台湾侵攻が起きれば、「中国許すまじ」の国民感情に一気に流れ込みます。

植草　台湾問題については、日本とアメリカの取り決めが微妙に違っています。中国の主張する、2つの核心的利益があります。一つは中華人民共和国政府が中国を代表する唯一の合法政府だということ。もう一つは、台湾が中国の領土の不可分の一部であること。この点について、過去の日中間の正規の外交文書、承認文書を精査し、正確な情報を知ることが必要です。

1972年9月29日の日中共同声明は、中華人民共和国を「中国を代表する唯一の政府」として日本政府が認めたものです。台湾については、領土の不可分の一部とする中国の主張を十分理解し尊重するとした上で、ポツダム宣言第8項に基づく立場を堅持することを明記しました。ポツダム宣言第8項は「『カイロ宣言』ノ条項ハ、履行セラルベク」というものです。

カイロ宣言は台湾、膨湖《ほうこ》諸島を中華民国（当時）に返還させることが、対日戦争の目的の一つとするものです。中華民国を引き継いだ「中国を代表する唯一の政府」である中華人民共和国が、台湾を日本から取り戻すことを認める立場を日本政府が堅持するということになり、日本政府が台湾の中国帰属を基本的に認めた。そのように理解されることになりました。

これとアメリカと中国との取り決めは異なります。アメリカは中国が「唯一の合法政府である」との主張を承認しましたが、台湾が中国の一部である点についてはアクノレッジ（acknowledde）としているとの表現にとどめたのです。

白井　ようするに「認知」しているが、「承認」はしていないと。

植草　なおかつ1979年の「台湾関係法」では、台湾に何かがあればアメリカが軍事介入することをオプションとして残している。

白井　もし台湾有事が起きれば、アメリカが動くことがありうる法体系になっているということですね。

植草　日本としては、台湾で何か起きても、あくまで中国の内政問題との位置づけになる。その意味で「台湾有事＝日本有事」はあり得ない。しかし、かつて日中両国政府が合意した尖閣《せんかく》領有権問題の「棚上げ」を、日本政府が2010年に「領有権の問題は存在しない」に一方的に変更したように、アメリカの圧力によって日中共同声明を無視して、台湾の中国帰属問題について「領土の不可分の一部と認めた覚えはない」と日本政府が突然宣言する可能性は否定し切れない。

白井　中国がソフトパワーでやってくるのであれば、日本が軍事力を強化するのはまったくのナンセンスです。ただし、今の話でいけば「台湾有事＝日本有事」説が生まれる余地も出てきてしまう。そもそも日中関係も改善の気配がありません。

植草　日中関係が劇的に悪化したのは、2010年9月7日の日本の尖閣海域における漁船衝突事件です。これをきっかけに中国脅威論が一気に高まり、中国でも反日運動が高まりました。この年の6月8日、菅直人内閣が発足します。この日に実は先ほど述べた閣議決定が行われていま す。「尖閣諸島に関する我が国の立場は、尖閣諸島をめぐり解決すべき領有権の問題はそもそも存在しないというものである」との内容の閣議決定です。

　1972年の日中共同声明締結、78年の日中平和友好条約締結、いずれにおいても尖閣諸島の領有権問題は議題に上がっています。この問題は先送りすることで日米間で合意がついた。通称

「棚上げ合意」です。日中両国が尖閣諸島の領有権を主張し続けると、決着をつけられないので、その解決は将来に委ねる。この件については79年5月31日付の読売新聞が社説で明記しています。

この棚上げ合意に基づき、日中漁業協定が締結されました。北緯27度以南の海域については、相手国漁船の取り締まりは外交ルートを通じて連絡をする取り決めです。仮に尖閣海域に中国漁船が入ってきても、取り締まらずに外交ルートを通じて連絡するだけ。

白井　その合意が、2010年6月8日の閣議決定によって変わってしまった。

植草　そうです。漁船の取り締まりを、日中漁業協定基準から国内法基準に変えた。これにより海上保安庁が、尖閣海域で中国漁船を取り締まることができる。この話は、ウクライナの図式と非常に似ていると私は考えています。

白井　ウクライナ政府がミンスク合意を一方的に破棄し、ロシアとの戦乱の道を開いていったのと似ているということでしょうか。

植草　そこに共通するのは、裏で糸を引くアメリカの存在です。極東においてもアメリカは、日本と中国の軍事的な緊張が高まるように操作してきた。アメリカが裏工作し、軍事的紛争を引き起こすインセンティブが存在する。そうなると日本は確実に巻き込まれます。

だからこそ日本においては、新たな戦争が起こることを回避するための動きが重要であり、真剣に向き合うべきです。被害を被《こうむ》るか、否かの視点だけではいけない。日本の外交としては、アメリカが念頭に置く台湾有事を前提とした軍備増強路線ではなく、中国政府と直接友好関係を構築する方向に外交の努力を注ぐべきです。日本がアメリカの戦略に乗って、日本の軍事支出を拡大して、南西諸島に対する軍備を高めることは、百害あって一利ありません。

被爆国である日本が世界平和を追求し、戦争を放棄し、国際社会で名誉ある地位を築くためには、ウクライナ問題とイスラエル問題、それぞれで正当な議論をすべきです。そこに立ち返るしかありません。

白井　同感です。現在、いまだかつてない危機状況だと思います。アメリカは覇権《はけん》維持のために同盟国、いや属国《ぞっこく》と言ったほうが正確ですが、それを使ってライバルとなった大国を封じ込めようとしています。日本に敵基地攻撃能力を持たせることと防衛三文書（国家安全保障戦略、国家防衛戦略、防衛力整備計画。「安保三文書」とも呼ばれる）は、台湾有事に対する準備であるとしか思えません。

中国と軍事的に事を構えるのは究極の愚行《ぐこう》以外の何物でもありません。もちろん、日本の政府高官もそれはわかっているでしょう。しかし、あの戦争のときの対米開戦（1941年12月8日）と同じで、いつの間にか、誰の決断でもなく、「やるしかない」という状況に刻一刻と自らを追い込みつつあるように見えます。

植草　最後に4月10日の日米首脳会談についてです。認知能力に不安を抱かれているバイデン大統領と政権末期と見られる岸田首相が会談して何を話したのか。能登半島では水道も復旧せず、いまだに多くの人がプライバシーもない劣悪な避難所の段ボールベッドで暮らしている。被災者を放置して岸田首相は、アメリカ議会でのスピーチの練習に時間を注いだという。

国賓扱いの訪米だと喧伝《けんでん》されたが、中国トップと同時に訪米した2023年11月のサンフランシスコ（SF）でのAPEC首脳会議での岸田首相への接遇を忘れることはできません。バイデン大統領は、SF郊外の邸宅でレッドカーペットを敷き詰めて中国の習近平国家主席を出迎えた。習近平一行の車列への警備のために、SF市内の道路の通行は制限され、岸田首相は徒歩と駆け足で日韓首脳会談の会場などに移動することを強いられた。これがアメリカの日本と中国トップに対する接遇の格差でした。

岸田首相は、2022年末に日本の防衛費倍増方針を示しましたが、このことについてバイデン大統領が23年6月にカリフォルニアで開かれた会合で口を滑《すべ》らせた。「私は3度にわたり日本の指導者と会い、説得した。彼自身も何か違うことをしなければならないと考えた」と述べたのです。岸田首相が提示した防衛費倍増方針は、アメリカの命令に隷従《れいじゅう》しただけのものであることが明白になった。

巨大な防衛費は、アメリカの軍事装備品不良在庫の一掃に使われる。戦争で荒れ果てたウクライナの戦後処理に、莫大《ばくだい》な費用負担が発生する。議会での演説権（＝券）購入代金として岸田首相が、どれだけの支払いを約束したのかが気にかかります。訪米に関心を注いだ日本国民は皆無《かいむ》に近く、衆院補選での得票増にさえつなげることができなかった。日本政治に求められることは、引き続き対米隷属からの脱却です。

白井　岸田訪米によって日米統合作戦司令部なるものが、いよいよ本決まりになってきました。ようするにこれは、ずっとその存在が指摘されてきた指揮権密約、すなわち「有事の際には日本の自衛隊は米軍の指揮下に入る」という密約があるという話が表面化した、ということなのだと思います。これで名実ともに、自衛隊は米軍の2軍として機能させられるというわけです。第2次世界大戦で日本が負けたことの本当の意味を、これから日本国民は思い知ることになるのではないでしょうか。それを知ろうとしてこなかったことのツケを払わされるのです。

Round4

メディアを斬る！

ジャニーズ、松本人志問題から、
LGBTQ、コロナワクチンまで

「安倍様のＮＨＫ」

植草　最後の章ではメディアの問題を、新型コロナ、ＬＧＢＴＱ（レズビアン、ゲイ、バイセクシュアル、トランスジェンダー、クィア）、ＳＤＧｓ（持続可能な開発目標）の話題を交えながら、話していきましょう。まずはダウンタウンの松本人志《ひとし》氏の性スキャンダルの問題について。この先、どうなるかわからないですが。

白井　松本人志氏の問題は、彼の事実上の引退によって決着がつきそうです。タカラヅカの問題（宝塚歌劇団宙《そら》組におけるパワハラと宙組娘役の自殺）もありますが。

植草　ジャニー喜多川《きたがわ》氏（旧ジャニーズ事務所創業者、現ＳＭＩＬＥ-ＵＰ.）の性加害、タカラヅカ（宝塚歌劇団）のパワハラ問題と自殺、松本人志と吉本興業の問題とくる。

白井　キャンセル・カルチャー（現代の糾弾活動形態）がいよいよ力を持つようになってきた感じがしますよね。

植草　白井さんは、テレビから声がかかったりしているんですか？

白井　安倍政権が本格化して、彼に権力が集中してから以降、はっきりと差が出てきました。つまり、テレビから声がかからなくなった。２０１６年度に、ＮＨＫの『クローズアップ現代』がリニューアルを余儀なくされました（『クローズアップ現代＋』に改題）。キャスターの国谷裕子《くにやひろこ》氏が降板させられ、従来の『クロ現』のテーマでないようなものを取り上げるようになった。ディレクターの人たちが抵抗したらしく、「改編はやむなし」だが、引き下がりたくない。そこで「リニューアル版にあなたを起用したい」と言われたのですが、これがポシャっていくわけですね。

植草　上から「白井はダメだ」と。

白井　そのようです。僕に限らずテレビに登場するメンツははっきり変わってきました。古賀茂明《しげあき》氏（元通産・経産官僚）などもテレビから追放されていった。

植草　私の印象では、2001年に小泉内閣が発足して、そこで潮の流れが変わった。小泉総理の秘書官に飯島勲《いいじまいさお》氏（元内閣官房参与）が入って、彼が鮮明にメディアコントロールを戦略として打ち出した。私は日経関連の番組に出ていましたが、日経トップの鶴田卓彦《たくひこ》氏が追い出され、小泉のポン友である専務の杉田亮毅《りょうき》氏がトップになった。そのあたりから、私の番組内での発言に対するチェックがすごくきつくなっていく。

白井　それが植草さんの体験的な受けとめ方ですね。

植草　NHKの『日曜討論』は山本孝《たかし》氏（元NHK解説委員）が司会をやっていた時代には、相当自由に反対意見も発言させていた。それが変わるのは、影山日出夫氏（元NHK解説委員）になってからです。影山氏はものすごいプレッシャーを受けて、番組進行をやっていたと思います。その後に司会を担当した島田敏男氏（ＮＨＫ放送文化研究所研究主幹）の偏向ぶりは目を覆うばかりでした。

白井　影山氏は、２０１０年にお亡くなりになった。

植草　私は、大阪のよみうりテレビの『ウェークアップ！』に出ていたんです。落語家の桂文珍《ぶんちん》さんの司会で、自由に発言させてもらった。それも番組改編になって、司会が元よみうりテレビアナウンサーの辛坊治郎《しんぼうじろう》氏（日本維新の会との親密な関係が噂されている）に。

白井　それは見るも無残な……。

植草　そこからもう番組がガラッと変わる。ですから潮の流れは２００５年以降です。

民主党が政権交代したときも、メディアのコントロールが重要だった。これは政権交代が起こる前に準備すべきことですが、放送法を改正する。鳩山内閣も放送法の規定を利用してＮＨＫに対するグリップを強めるべきだったと思います。安倍内閣が「安倍様のＮＨＫ」にしたのは、放送法が定めるＮＨＫの最高意思決定機関である経営委員会の人事権を、内閣が明確に意識して濫用《らんよう》し始めたからです。人選を通じてＮＨＫをコントロールしていく。

そもそも論で言えば、ＮＨＫは政治権力から切り離すべきなんです。戦後民主化の過程でＮＨＫ改革が推進されかけましたが「逆コース」で阻止され、政治権力下のＮＨＫの基本構造がつくり上げられました。吉田茂元総理の時代です。今後、政権交代を実現した段階でＮＨＫを政治権力から切り離す放送法改正を断行するべきです。

白井 上手だった「だから人事権だよね」っていうのはその通りです。だから安倍さんは、権力の使い方は上手だった（苦笑）。民主党政権の失敗から学んだともいえる。民主党は、政権交代する前の準備不足もあった。放送法の話もしかりです。

植草 日本国憲法の構造的欠陥も見えます。3つの支配権を内閣総理大臣が握る。人事を通じて裁判所を支配できますから、司法支配もできちゃう。日銀も日銀法改正で政策決定会合での投票権を持つ日銀の総裁、副総裁と審議委員の任命権を内閣が持ちますから、日銀も支配下に置ける。NHKも最高意思決定機関である経営委員会の委員の任命権を、内閣総理大臣が握っています。経営委員会がNHK会長を任命し、NHK会長が経営委員会の同意を得てNHK役員を任命します。

つまり、内閣総理大臣は人事権を通じてNHKを支配することができる。経営委員会委員の任命について、条文は「公共の福祉に関し公正な判断をすることができ、広い経験と知識を有する者のうちから任命する」としていますが、安倍内閣下ではこの条文が空文と化しました。この意味で安倍さんは日本国憲法が定めている内閣総理大臣、あるいは内閣の権限を最大活用して、日本支配を進めた。

民主党政権は逆に恣意《しい》的人事をやらなかった。抑制的な権力運営を実行したと言えますが、そのすきを突かれて残存した既得権勢力の影響力にやられてしまった。

日本のジャーナリズムは消滅した？

植草　テレビに斎藤幸平《こうへい》氏（哲学者、経済思想家）は出ずっぱりですけどね。あの人はどうですか？

白井　そうですね。テレビからすると使いやすいのだと思います。目の前の権力に対する直接的で破壊的な批判はしないので。

植草　メディアを完全に一色に染めたら、政権側の思惑が見えちゃう。必ずなにかまぶす。まぶすときには基本的には、破壊力が小さい人か協力的な人でまぶすのが鉄則です。本当の危険人物は排除します。

白井　そういう意味では、なんとか生き残っているのは青木理《おさむ》氏（ジャーナリスト）ぐらい。これは日本のテレビの経営陣の問題です。彼らは放送ジャーナリズムの独立みたいなことを、まったく考えたことがない。根本的にそういう発想がない。自ら政権に屈しに行っている。たしかに政治からの圧力は受けた。けれどもそこで誰か殺されましたか。別に誰も殺されていない。

ロシアの放送局は「みんな政府万歳だ。ひどい有り様だ」とか言われていますが、そうだとすれば、それはロシアのテレビ局が全部、51％以上株式がロシア国家保有になっているからです。

逆にいえば、そこまでやらないと、つまり経営権を実質的に獲得しなければ、屈服させられなかったわけです。日本の放送局は、そんなことするまでもなく、みんなどんどん屈服して尻尾《しっぽ》を振っていく。日本人の劣性がよく表れている。

植草　新聞社とテレビの関係もありますし……。営業系、販売系でないと社長になれない側面もあります。

白井　はい、かつては存在したバランスとモラルが崩れたのだと思うのです。報道をやる人間は、社長とか、役員とか偉い肩書きを求めてはならない。求めるような種類の人間が報道をやっちゃいけない。だから、社長業なんてバカバカしい仕事は、金儲《もう》けが上手なやつに任せればいい、という気風があったでしょう。

したがって逆に、新聞屋の一番トップに登り詰める人間は、肩書きは偉そうでも羞恥心《しゅうちしん》を持っていた。「自分は真のマスコミ人ではない。単にうまく立ち振る舞って、上に来ただけだ」と。報道や記者、ジャーナリストたちがやる仕事に対して口を出せない。いざとなったら自分の立場を賭《か》けて現場を守る覚悟があった。「それだけの仕事だ」という自負もあった。

だけども、ネオリベラリズムと売り上げ不振のなかで心が腐ってきた。「利益を伸ばした俺は偉い」とか本気で思うようになってしまう。「社長の俺の言うことを聞かないのはおかしい」とか、本心から思ってしまう。

植草　関西のテレビにやたらと出ている橋下（徹）氏もそうだが、異様ですよね。

白井　関テレも、よみうりテレビも、ABC（朝日放送）も、MBS（毎日放送）も本質的には何も変わらないように見えます。みんなただの維新応援団と化してしまった。

植草　いつから維新応援団になったんでしょう。

白井　とにかくテレビで橋下氏の人気をあおり、維新の人気を煽《あお》って、吉村洋文《ひろふみ》氏（現大阪府知事）も本当に人気者になってしまった。視聴率がとれる一方、出演料を払わなくて済むので都合が良いのです。典型的な「貧《ひん》すれば鈍《どん》する」の発想です。

植草　現時点ではジャーナリズムは消滅しています。「ジャーナリスト」と称している人も、営業と一緒に、ジャーナリズムという分野で営業をしているだけ。営業利益を追求して紙面も文章も記事も構成する。それが社是《しゃぜ》であり、社の利益の源泉でもある。それをチェックする機能も存在しない。もう野放しの状態です。唯一そういうものと少し差別化を図って、独自性を発揮している新聞社が、北海道新聞、東京新聞、日刊ゲンダイなど数社存在しているだけじゃないですか。

「JKTY」に見る芸能界の闇

白井　旧ジャニーズ事務所、タカラヅカ、松本人志氏の問題に話を戻すと、どういう一つのつながりになるのか。そしてそれは政治の変動と何らかのつながりがあるのでしょうか。

植草　私は「ＪＫＴＹ」と呼んでいます。

白井　ジャニーズ、歌舞伎《かぶき》（四代目市川猿之助《いちかわえんのすけ》氏によるパワハラと猿之助両親に対する自殺幇助《ほうじょ》）、タカラヅカ、吉本興業ですね。これらは簡単に見れば、膿《うみ》が出たということになるんですが、本質を考えるとかなり難しい問題だと僕は捉えています。単純にいい、悪いといえない問題です。

植草　安易に触れることができない「アンタッチャブルの領域」です。

白井　そのアンタッチャブルさは、一つにはジャニーズや吉本が芸能界で異常に巨大化した権力を持ってきたという意味ですね。

　ですが、もう一つのアンタッチャブルもありませんか。従来芸能界は普通の理屈が通じない別世界であったように、相撲部屋の問題も同様です。相撲部屋でのリンチ殺人（２００７年の時津風《ときつかぜ》部屋力士暴行死事件）が大問題になっても、実はそういうことは昔からあった。

　端的に言うと、芸能とスポーツは「河原者《かわらもの》」、被差別者の世界として営まれてきた面があります。そこでは市民社会のルールとは異なる掟《おきて》が支配してきた。言い換えれば、普通の市民社会と被差別者の社会のすみわけがなされてきた。今起きているのは、こうしたすみわけの破壊です。

　近代の論理を徹底化すれば、差別はあってはならないし、人権はあまねきものです。こっちの世界では通用するが、あっちの世界では通用しない、というのはありえない。僕は結局、宮崎学《まなぶ》氏（評論家、ノンフィクション作家）が晩年までこだわり抜いた問題に行き着くと思う。そのような一元的世界をつくったら、どうなるのか。

植草 生きづらいよね。

白井 はい、とはいうものの、ジャニーズにしろ、吉本にしろ、問題が表面化した部分では、人権侵害があったと言わざるを得ない面があって、これらが問題視されることは、ひとつの進歩であることは否めません。

植草 この問題をおろそかにすると、人権を根本的に否定することにつながる。

白井 その部分が難しい。

植草 芸能だけではなく、スポーツも凄《すご》い。それによって警察、検察のポジションが肥大化していった。そこで何が起きるのか。

白井 ここで警察が乗り込んでくると、公権力が強化される作用もある。暴対法《ぼうたいほう》（暴力団員による不当な行為の防止等に関する法律）が典型ですが、暴力団をどんどん追い詰めていったら、警察の権力が異常に肥大化すると宮崎学さんがずっと訴えていた。

植草 一番大きな暴力団とも言えますし。

白井 ジャニーズも、タカラヅカも、吉本も取り締まる。その上で警察は取り締まったり、しなかったりする。その匙《さじ》加減《かげん》によって、彼らの権力リソースを増やしていく。そもそも暴力団の構成員が減って、犯罪が減ったのか。そんな話は聞いたことがない。結局は、確《かく》たる組織を持たない半グレのような新しい形態の犯罪集団が現れています。

植草 実際には家出人、失踪者《しっそうしゃ》は多数存在します。そのうちのどれだけが殺されているか全然わからない。表面化させなければ、数字は低くなりますから。差別の問題で言えば、暴対法自体が差別ですから、そこの問題を抜きにして語れない。暴対法は正義ヅラしていますが、基本的人権、法の下の平等といった観点からはずれている。そこを再整備する論理がないと、バランスを欠く。

白井 暴対法のため、構成員は部屋も借りられない。

植草 銀行口座も開けない。

白井 厳密に言えば、飯屋《めしや》で食事を提供するのも法に反するはずなんです。人間として生きていけない。更生のしようもない。

植草 そういうことを今、表に出してやっている意図について、どう考えますか。JKTYについて今、一斉にやっています。それは誰のどういう意図なのか。

白井 そこがよくわからないですね。事の発端は外国メディアによる報道であったり、被害者の訴えであったのだから、誰かが焚《た》き付けて、ということではないように見えます。

僕の個人的な好みから言えば、ジャニーズも、吉本も、芸能としてはまったくつまらなかった。なくなってもらって全然かまわない。大したものではないのに、やたらと強い権力を持っている。

それらが消えてくれることはいい。
　他方で市民社会の論理の普遍化があり、それは単純に首肯《しゅこう》して良いものかどうか疑問です。僕は資本主義の発展、進化するための一段階だと思う。だからネオリベラリズム、新自由主義化がどこかで関係している。資本による人間社会の全面的包摂《ほうせつ》ともつながる。「人権が拡張するから万歳」と単純には言えないはずだと思うのです。

植草　その議論で、ジャニーズ、吉本、松竹（歌舞伎興行を運営）、タカラヅカとありますが、テレビ局の問題は全然やられていない。
　テレビ局自体はＮＨＫが少し先に動き、その後、民放各社がわずかに動き、ミニ排除の演出を施しましたが、基本的にはずっと擁護の流れできた。この側面を考えるとテレビ局、テレビの制作会社の問題が残る。そこにはまだメスが入ってない。相当な不正、不祥事が、テレビ局の幹部クラス含めて出てこない。文春がやれば出てくるかも。

白井　そうですね。ジャニーズの場合、同性間での性被害問題が焦点になっていますが、異性間で同類のことはもっと比較にならないほどたくさんあるはずです。テレビ業界の有力者も、なんかしら恩恵を受けたのではないかと思わされます。そう考えると彼らが追及に及び腰なのも納得がゆきます。

植草　その意味だと公正性を欠きます。ジャニーズは男性の問題ですが、女性の問題で同じような話は、いくらでも存在する。それが今のところ、まったく抑えられていますし。

白井　「芸能界ってそういう世界だから」という価値観が古典的論理としてあるわけです。

そこでアメリカやヨーロッパでミートゥー運動（＃ＭｅＴｏｏ）が起きて、それが日本にも伝わってきた文脈がある。でもミートゥーみたいな流れはどこまで続くのか、僕はよくわからない。結局そういったエンタメ界の薄暗いものは、完全になくせるのでしょうか。

芸能にもいろんな種類があります。極めて薄められた形で、あるいは極めてあからさまな形で、いずれも性を売る商売だという性格があります。それが本質であるとすれば、「そもそもそういう商売だ」という話になる。ゆえに差別を受けてきた。それに従事するやつは普通じゃないとされてきた。

ただし、差別されているがゆえの自由、市民社会の常識に従わなくて良い自由が認められてきた。このようなすみわけのロジックで、われわれの社会はもともと構築されていたはずなのです。そのすみわけを全部やめることが、本当に人間社会に可能なのか、あるいは望ましいことなのか。

警察、検察、大企業はもちつもたれつ

植草　いずれも芸能界ではアンタッチャブルとされてきたところに、メスが入ってきた。浄化という意味では意義がある。それと密接に関わるのが、日本の警察、検察、裁判所制度の問題だと思います。こうしたなかでもたとえばガーシーこと東谷義和《ひがしたによしかず》氏は、地裁で執行猶予がついたものの、起訴され有罪です（東京地方裁判所は懲役3年執行猶予5年の判決）。一方でジャニーズ、西武ライオンズの山川穂高《ほたか》氏（内野手、現在は福岡ソフトバンクホークス所属）、日大アメフト部（現在は廃部）とそれぞれに問題がある。

損保ジャパンの問題は、摘発されたのはビッグモーターの不正請求事件だけ。損保ジャパンはいわゆる器物損壊に本来加担しているはず。顧客の車を人的に壊している。ところが器物損壊をやって立件したのは、販売店の前にある街路樹を意図的に枯らした犯罪だけ。車を壊したほうをやっていない。車を壊したほうをやると損保ジャパンの立件につながる。

白井　業界関係者は「明らかに共犯だ」と言っています。

植草　損保ジャパンは、元警察庁長官を天下りで受け入れています。西武ホールディングスは警察庁の本部長クラスを取締役に天下りさせている。松竹も警察関連の番組を作っています。そう

いう系列は全部刑事事件としての立件をしないか、本来の量刑水準よりもはるかに低い水準に量刑を引き下げている。

市川猿之助氏の両親（父は四代目市川段四郎《いちかわだんしろう》氏）が、猿之助の自殺幇助により死亡しました。法医学研究センターの所長の見解が出ている通り、あの薬物（睡眠導入剤）で致死量に至るには16００錠くらい必要です。薬物症状が出るには1０００錠必要。あの量では死亡には至っていない。死亡に至った死因はたぶん窒息死です。でも検死の段階でこれを薬物中毒死にしたので、猿之助は自殺幇助で済んだ。もし検死の段階で窒息死にしていれば、幇助では済んでいない。殺人ですから。

白井　起訴事由《じゆう》と裁判は、猿之助氏の主張が全面的に受け入れられた形です。一般人ならば、ここまで全面的に受け入れられるか、大いに疑問です。本当に両親が自殺しようとしていたのか、証明されたとは到底言えない。

植草　ビニールを被せて死んでいる。薬物で死んでないはず。でもそれは検死の段階で薬物中毒死にしている。そのあたりはさまざまな配慮が働いての死因特定ということになるのだと思います。最終的には自殺幇助で執行猶予がついた。

警察、検察には巨大過ぎる裁量権が与えられている。犯罪が存在するのに無罪放免にする裁量権。もう一つは、犯罪が存在しないのに無実の市民を犯罪者に仕立て上げる裁量権。刑事訴訟法

248条には、起訴便宜主義が定められている。起訴するかしないかは検察官の判断に委ねられている。これが悪用されている。そうすると天下りを受けているところが事件を起こしても、すべて無罪放免か量刑大幅引き下げになる。

逆に政権に対して攻撃を加えている小沢一郎氏、ガーシー元議員、そういうところは厳罰の方向にいく。小沢氏の強制起訴などは捜査報告書の捏造《ねつぞう》もあり、検察史上最大最悪の重大犯罪でしたが、これを最高検がもみ消した。大阪地検のフロッピーディスク改ざん（大阪地検特捜部主任検事証拠改ざん事件、2010年）の比ではない、極悪非道なものだった。検察犯罪にかすかにメスは入ったが、氷山の一角の一角。巨大不正は完全な闇の中です。実際の法の運用、刑事事件の立件は権力と利権が絡むと前近代も甚《はなは》だしい。

私が今最重大問題だと見るのは「木原《きはら》事件」（岸田総理の懐刀《ふところがたな》と呼ばれる木原誠二衆議院議員をめぐる一連の疑惑）です。木原事件もうやむやになる流れになっていますが、明らかに殺人に見られる事案です。それが、自殺を覆す所見なしで、検察に送致されている。

白井　そうやって摘発しつつ、一方で寸止めにして罪をとことん追及しない。典型的な腐敗国家の在り方なんだと思います。捜査当局は真実に基づいて公平に罰を与えようとするのではなく、相手の社会的地位や保持している権力の多寡に基づいて手心《てごころ》を加える。それによって貸しを作れるわけですね。こうやって貸しを作っておけば、捜査当局自身の腐敗や不正が問題化したとき、かつてお目こぼししてあげた貸しを返してもらうことで食い止めてもらう。また、天下り先を増やすための資源として使うこともできる。

ですから、巨悪による不正が多くなり、それをあえて追及しないという状況が続けば続くほど、捜査当局の権力は絶大なものになっていきます。たとえば、冤罪《えんざい》なんかが明るみに出ても、誰も責任を取らず適当に誤魔化されるのが普通になってしまう。

植草　ＪＫＴＹの問題はなぜ今になって明るみになってきたのか。その分析がまず一つあります。一方で刑事事件の取り扱いそのものは、脈々と流れる警察・検察権力の腐敗行政がある。近代国家の根幹に関わる問題です。身体の自由、逮捕、身柄拘束、冤罪はまさにそう。冤罪は「魂の殺人」と呼んでもいい。社会的生命を奪うようなことですから。その分野は結局まったく変わらずにきた。

その源は大久保利通だと考えています。政権の意に反する邪魔者は抹殺していく。その歴史をずっと引きずってきた。警察、検察、裁判所は司法機関ではなく、権力機構の一翼を担っている、権力に関係ないところでは普通の公正な捜査をするかもしれませんが、権力に対する危害のある存在に対しては、公安と一緒で、まったく別の取り扱いをする。

もう一つは営利産業としての警察・検察権力の構造腐敗の問題です。天下り利権、特定の利権と警察、検察行政は表裏一体です。ＪＫＴＹもこの側面と切り離せない問題です。これとアンタッチャブルで封印されてきた闇の領域の問題が複合されている。そのパンドラの箱が開いた。

白井　この失われた30年の間に、想像されるよりももっと上の水準にまで、日本の国家機構、さらには支配的エリート層の腐敗が進んでしまった、ということなのだと思います。だから僕はロシアに留学したときの経験を踏まえて、よく皮肉を言うのです。「日本の警察は実に清廉潔白だよ。だって、お巡りさんが道を歩く人をカツアゲしたりしないでしょ」って。

国家崩壊にまで至ると、国家権力の末端はそこまで腐敗するようになります。上は推《お》して知るべしです。ただし、今の日本は上に関しては、すでにもう十分なまでに腐敗しているということです。

「木原事件」で日本が法治国家でなくなった

植草　その話とつながるのが、木原誠二氏の存在です。先ほども申したように、2023年から24年にかけての最重要問題の一つが「木原事件」だと位置づけています。

白井　木原氏は、プライベートな問題だとしても、あれだけの攻撃を受けながら、いまだに陥落、失脚していないのは不気味なものすら感じます。木原事件は、別に木原氏が人を殺した話ではない。でも、捜査妨害をした疑いはかなり強い。普通なら少なくともしばらく浮上できないはず。

それがまだ政権の中枢部にいるのはどういうことでしょう。

植草　２００６年4月9日に、木原氏の妻・郁子氏の元夫・安田種雄氏（当時28歳）が亡くなっています。事案そのものは他殺の疑いがあった。それを直ちに大塚警察署が自殺で処理した。医師が所見を出す前に自殺処理している。

　長く闇に葬られていたのが、２０１８年、女性の検事が掘り起こし、再捜査になった。そのタイミングで木原氏が２０１８年10月に自民党の情報調査局長となり、捜査が止まった。佐藤誠氏（警視庁元警部補）が記者会見をしましたが、状況証拠から見ても他殺の疑いが非常に強い。すでに一部マスコミで実名報道されているが、木原氏の妻の父親は元警察官の船元賢二《ふなもとけんじ》氏。

白井　マスコミ報道によると、その人が殺した説が強い。

植草　船元氏は直撃取材を受けて、すごい剣幕で追い返した。安田氏の遺族が新たに提出した告訴状が受理されたが、警視庁大塚警察署は直ちに「事件性なし」として書類を検察に送致した。警察のスタンスは今も変わらず「事件性なし」。

　今、検察が取り調べをしているところだが、ここにテレビ朝日の元法務部長で弁護士の西脇亨《きょう》輔《すけ》氏がテレビ朝日を辞めて、この問題に参入。重要記事を書き始めています。この人がどこまで食い下がるのかがポイントです。殺人事件には時効がないので事件性があれば自殺として処理することはあり得ない。事件が迷宮入りになることはあっても事件性なしでの決着はあり得ない。

白井　大塚署が自殺としてあっという間に処理したのは、警察関係者による犯罪だから隠蔽《いんぺい》したということなんでしょうね。

植草　それと被害者の父親が在日韓国人で、帰化された可能性はありますが、この要因があるのと、被害者に薬物中毒があったこと。それで安易に自殺で処理したとの見方がある。警察要因と不当な差別としての在日の問題の両面だと思いますね。

それにしても殺人の疑いが限りなく濃厚であるのに、捜査もせずに自殺で処理するというのは、もし殺人であれば、殺人犯を無罪放免で野放しにすることになるわけですから、法治国家としては考えられません。今の日本が法治国家でなくなっている証明です、この事件は。

白井　結局、法治国家として、もはや体《てい》を成《な》していないという話です。法の下での平等があまりにもない。

なぜ、捜査をちゃんとやらないで寸止めするのか。そうしたほうが、当該機関の権力拡大や利権の拡大のために役に立つからだと。これをばっさり切ってしまったら、「ハイ、それまでヨ」という話で、捜査当局にとって旨味《うまみ》がない。「バッサリ切るぞ。でも見逃してやってもいいんだぞ」とやることによって、見逃された側は恩義に感じるしかない。

木原事件も、木原氏を追及しないほうがそれによって、検察なり、警察なりは自民党や木原氏の出身たる財務省に対してアドバンテージを持つことができる。こうして権力に対しては、きちんとした司直の手が及ばない。これは国家権力の内部で、悪事が権力争いや利権拡大のための資源にされている。犯罪のいわば「権力リソース化」ということです。まさに腐敗した三流国家の典型に成り下がりつつある。

植草　大川原《おおかわら》化工機《かこうき》事件（兵器に転用できる噴霧乾燥機《ふんむかんそうき》を経産省の許可を得ずに輸出した疑惑。第1回公判直前に公訴が取り下げられた）もそう。

白井　あの冤罪事件も、司直の腐敗を如実に表している。経産省の担当者が、「あの上司は俺より右翼だから、どんどんやっちゃうよ」などと言っていたのがテレビで明らかにされた。日本の高級官僚も、根っこがネトウヨ化している。ネトウヨ的なものは、国家中枢まで浸透してきているわけです。

植草　法の下の平等、無罪推定の原則、罪刑法定主義、これらは1789年のフランス人権宣言で定めている。日本は日本国憲法において建前上の規定は置いている。

ところが実際には、法の下の平等はまったく存在しない。性犯罪でいえば、元西武の山川選手は無罪放免（東京地検で不起訴処分）で、元柔道日本代表の内柴正人《うちしばまさと》氏（地裁で懲役5年の実刑判決、最高裁に上告するも棄却され、刑が確定）も、韓国籍の俳優・新井浩文《あらいひろふみ》氏も実刑（東京高裁で懲役4年の実刑判決確定）です。

西武は警察本部長が取締役で入っている会社なので、無罪放免になるのだと見える。そうなれば、どの会社もみんな警察・検察幹部を天下りで受け入れます。警察・検察行政が利権ビジネス化していて、法治国家として崩壊している。

白井　大川原化工機事件に関しては、アメリカに忖度《そんたく》したとの見方もできます。もっといえば、政権がこういう法律をつくった。そこで「手柄を立てよう」と公安外事課が大幅に体制拡充されたので、何かせねばならぬということで無理やり事件を大きくした。

植草　いわゆる経済安全保障に関わることですよね。経済安全保障は、突然、高市早苗氏が経済安全保障担当大臣をやっていますが、これよりはるかに大きい経済安全保障問題って円安なんですよ、円が暴落しています。日本の優良資産が、外国資本に買い尽くされる危機が広がっている。

こちらの危機には目もくれず、アメリカからの圧力があった「経済安全保障」問題だけを取り上げて、その上で目玉事例を作ることが求められた。大川原化工機事件は、そのために人為で作っていった事案という位置づけでしょう。

「SDGs」の大合唱と財界の欺瞞

植草　デフレという、マジックワードの話を先ほどしました。「とにかくデフレは悪だから」と。同じように最近は、「環境が大事だね」という声が高くありませんか。

白井　あります。突然の国連による「ＳＤＧｓ（持続可能な開発目標）」の大合唱で。

植草　「デフレ」流布で、「物価下落誘導した日銀が悪の権化だ」と追い込むキャンペーンと同じですよ。「ＳＤＧｓに反対するやつは悪だぞ」みたいな形です。

それを率先して企業がやっている。「いい企業ですよ」と見せびらかすために、経営トップがみんなＳＤＧｓのバッジをつけている珍妙な光景が広がっています。そこに多数の国民が誘導されていて、それを企業、経団連、連合がビジネスに活用している。亡くなられた元横須賀市議の一柳《いちやなぎ》洋《ひろし》氏が「コロナとウクライナと温暖化はみんな同根」と看破《かんぱ》されていました。「ＳＤＧｓ」も欺瞞《ぎまん》の塊《かたまり》にみえるのですが、どう思われますか。

白井　いわゆるアメリカのウォークキャピタリズム（社会・政治運動）に関しては、カール・ローズ氏（シドニー工科大学ＵＴＳビジネススクール学長兼組織論教授）が書いた『ＷＯＫＥ　ＣＡＰＩＴＡＬＩＳＭ「意識高い系」資本主義が民主主義を滅ぼす』（東洋経済新報社、２０２３年）が参考になります。なかなか話題の本で、僕も書評を書いた関係でじっくりと読みました。

この本が問題にしている点は大変明確です。ＳＤＧｓ的なものと、もう一つはアイデンティティ・ポリティクス（アイデンティティが土台の集団が、集団を構成する個人のアイデンティティに関して社会的承認を求める運動）。環境問題への取り組みと、さまざまなマイノリティに関するポリティカル・コレクトネス（特定のグループや人間に不快感・不利益を与えない政策）を推進していくことに関して、世界の大企業は多額のお金を使っています。

植草　「意識高い系」の訳語のセンスが高いなと感心して同書を読みましたが、飽くなき利潤極大化に邁進《まいしん》する巨大資本＝グローバル・キャピタルはより狡猾《こうかつ》に、より巧妙に、そして大がかりにビジネスモデルの構築に突き進んでいます。

それだけに、すべてのものごとに対して疑ってかかることが重要になっている気がします。作家の塩野七生《しおのななみ》氏の『ルネサンスとは何であったのか』（新潮社、２００１年）に「ルネサンスとはすべてを疑うこと」という言葉が出てきますが、感心してしまう前にすべてを疑ってみる必要があると思いますね。

逆に言えば、巨大資本――グローバル・キャピタルの側がひどく追い込まれているということでもあると思います。普通に利益を上げられなくなってきた。そのために、巨大な仕掛けや言い回しが必要になっている。

白井　最近の世界的企業はとても倫理的です。倫理性の高みに達してきている。そう思う人もいるかもしれませんが、ローズに言わせると大欺瞞《だいぎまん》です。大嘘《おおうそ》です。「そんなに社会正義が大事なら、なんでお前たちはあらゆる手段を講じて、租税回避をするんだ」と。実態と釣り合っていないわけです。

先ほどから法人税の話がありましたが、日本の法人税について言えば、多くの企業がさまざまな手段をこうじ、政治的影響力も使って、実効税率を減らしてきた。そして、そのツケを庶民への課税である消費税に回した。日本企業に限ったことではなく、世界中で同じことが行われている。

いわゆるグローバル・キャピタルは、あらゆる手段を使って課税逃れをして、巨大化してきました。彼らには社会正義の本当の意味での実現に対して、関心など本当はありません。ようするにイメージアップのために、社会正義にコミットしているかのように見せかけているだけです。

植草　SDGsも、まさにそうですね。この問題の一つの目のつけどころは、これが国連のアジェンダ（実現目標）であるという点。「泣く子も黙る国連」とは程遠いのが現実なのに、それでも水戸黄門の印籠《いんろう》のような効果はある。これは使い勝手がいい。国連が推進するSDGsと言えば、信号を全面的に青信号に変更して警察車両に警護される車のような取り扱いになる。今や、小中学校でもSDGsの大宣伝が行われていますからね。

日本経済新聞などSDGsの広報誌かと見間違えるような紙面構成で、連日のようにSDGsイベントの全面広告が掲載されている。このために国民の血税がどれだけ投下されているのかを思うと心が痛みます。

「ＬＧＢＴＱ」政策の暗部はＴとＱにあり

白井　意識高い系資本主義の問題で焦点になってきているのが、ＳＤＧｓと並んでポリティカル・コレクトネスに関わるところです。とりわけ性的少数者、ＬＧＢＴＱです。この問題は日本でも２０２３年、新しい法律であるＬＧＢＴ理解増進法（性的指向及びジェンダーアイデンティティの多様性に関する国民の理解の増進に関する法律）ができることで、その内容をめぐって随分論争になりました。僕の立場と見方を話すと、社会としては性的少数者とどう共存するのか、という問題にいきつきます。これはたしかに大事な視点であり、こうした人たちの人権がきちんと守られるようにしなければいけないのは当然の話です。

植草　一般論としてのＬＧＢＴＱ、いわゆる性的マイノリティの人権は尊重しなければならない。その前提には、何も異論はありません。白井さんがこれまで書かれたものでも、そこに依拠する部分が大きいと思います。

白井　問題は、とりわけＴとＱだと考えています。これまでの一般大衆、マジョリティの人たちにとっては、とても新奇なワードだったと思う。トランスジェンダーのＴ、それからＱはクィア（逸脱。性的指向・性自認が定まらない人）です。一体何なのかとお話しすると、僕の見るところではこれは新しい商売です。すでに欧米では、流れの先端を走ってきただけに問題が露呈《ろてい》してきて、潮の流れの反転が起こってきています。これまでは彼ら・彼女たちの人権は大事だから、これを積極的に認めていこうという方向性で基本的にやってきた。露呈した問題とは、日本ではトイレ使用の問題が有名ですが、スポーツにおけるトランス女性の女性種目への出場問題なども有名です。疑問を呈したら、K・ローリング女史（『ハリー・ポッター』シリーズの原作者）が激しい非難というか攻撃にさらされてきたことも、よく知られていると思いますが、その際の攻撃のエキセントリック（突飛《とっぴ》、風変わり、偏心的《へんしん》）さも際立っていました。

そして、決定的なのは思春期ブロッカー、ホルモン投与、さらには外科手術などの手段によるトランジション（性転換）が「療法」として濫用《らんよう》されているのではないか、という疑惑が高まったことです。こうしてイギリスなどでは政策転換が起きてきています。植草さんはこのへんの問題に関して、どうご覧になっていますか。

植草　たしかに気がかりなのはTの部分です。物理的というか肉体的な性別と、それから性自認。これに関しての違いを糧《かて》に、いわゆるグローバル・キャピタルという資本サイドが利益のために活用しています。

白井　性の商品化の新しい形態です。

植草　そのように表現することも可能でしょう。そのために意識高い系資本主義、社会正義の看板を掲げて、もっともらしい大義名分をかざしています。SDGsもそう。それは社会の理解、企業のイメージを拡大させるために活用すべきものでしょう。

でも突き詰めていえば、非常に単純化できる側面もある。利潤の巨大化をするために、何をするのが最適なのか。企業内部で考察して、あらゆる事件、事態が発生したときに、それにいかに便乗して、利用していくのか。

そこで企業は、一見もっともらしい大義名分を掲げて、社会のヒーローになる。一方で現実の現場においては労働者を酷使し、労働者から搾取に搾取を重ね、租税を回避して、CEOなり創業者は法外な所得を獲得する構図になっているわけです。

さらにTに関して言えば、これに便乗する大資本がワクチンにも共通して見られる重大な健康被害をもたらしかねないという問題も生じているのではないですか。

思春期世代が巨大利権の餌食に

植草　そういう文脈からLGBTQの話が作られてしまうと、結局いろいろなものの価値観自体が逆立ちし始めてしまう。何がどうあるべきなのかを論じるべきところが、利益のためにこの素材、たとえばＬＧＢＴＱの存在を活用するという形で取り扱われていく。そうなると議論が混乱してくる。その混乱がすでにイギリスで見られています。

白井　アメリカは州ごとにかなり考え方が違いますが、連邦レベルは今、民主党政権なので、基本的にいわゆるリベラルな政策です。ＬＧＢＴＱに関しては、基本的には推進方向にある。よく知られているように、アメリカではいわゆる価値観の大分裂が起きています。また、州ごとで民主党か共和党のどちらが優勢かで違いますので、アメリカではものすごい騒乱状態になってきている状況です。

植草　日本で言いますと、そういう議論が最終的な着地点を見出《みいだ》さない混乱の状況のなかで、中途半端に関わっています。そうなると最終的な着地点によっては、現在の対応が結果的に誤っていたという事態を引き起こしかねない。もう少し議論の精緻《せいち》化《か》、論点整理の必要を感じます。もちろん、性的少数者の人権への配慮、真実に基づく人権の尊重はすべきです。

白井　この問題は、理解増進法をめぐる論争を経た後、アメリカの独立系ジャーナリストであるアビゲイル・シュライアー氏の『トランスジェンダーになりたい少女たち　ＳＮＳ・学校・医療が煽《あお》る流行の悲劇』（産経新聞出版、２０２４年）の日本語版発売中止騒動（当初刊行予定のＫＡＤＯＫＡＷＡが批判を受けて刊行中止）によって再び注目を集めています。僕は、少しずつ問題の本質への理解が出てきているかなと思いますが、これは単純な「差別の解消は正しい」という話ではない。

人権救済されるべき「トランスの人たち」とは、いわゆる性同一性障害（ＧＩＤ）の人々であると認識されている場合が多いようです。ところが、今の社会運動を牽引《けんいん》している主力は、従来から存在が確認されてきたＧＩＤとは異なる人々です。そう考えられる理由は複数ありますが、そもそも極めて発生率の低い疾患であるとされてきたＧＩＤがいきなり急増するなど、大変不自然です。

では、このフィーバーとも言える状況をもたらしたものは何なのか。それは一種の性革命を通じた市場の開拓ではないのか。

植草　そういうものを利用したビジネスとしての活用の部分も、今の日本で顕在化《けんざいか》している。これに関しては、白井さんがいろいろと発信されているようなことが大事です。一般的にはまだ十分に、そうした理解は広がっていません。

人権を守るのは全部善で、それに対してものを申すのは悪である。こうしたステレオタイプが類型化していることが問題なんです。そこのところを、しっかりと周知することは大事です。同調圧力で疑問を封殺することの弊害を認識するべきですね。

白井　ＬＧＢＴＱに対する各国の動き、現象を見ていて、一番まずいと感じることが何かというと、これはまさにシュライアーの本が主題としていることですが、青少年を誘導するかのごとくに性転換を推奨してきたことです。シュライアーの著作は、女性から男性へのトランスのみに限定されているとはいえ、入念な取材に基づいた労作であり、説得力があります。彼女の主張によれば、そもそも誰にも起こりがちな思春期における精神的不安定に対して、「性転換によって治る」という誤った処方を与えてきてしまったのだ、と。

「つらい」「生きづらい」と訴えている青少年に対して、「それは性自認と身体のずれのためだ」という診断を下す。それで「トランスすれば楽になる」と思春期ブロッカーという第二次成長を抑えるホルモン剤を打つ。男の身体なり、女の身体になるのをホルモン剤で抑制する。そしてさらに、外科手術にいたる。性器や乳房の切除がそうです。ここまでくるともう完全に、取り返しがつかない。不可逆的なものです。

それで人生が救われるのなら、いいかもしれない。しかし、精神の不調の原因が性別違和にあるのではなかった場合、結果は悲劇的です。真の原因は、自閉症その他の疾患ではないかと多くの専門家が疑っています。シュライアーはこういう言い方をしているのですが、とても説得的です。いわく、「拒食症の患者は、やせ細っているのに自分は百貫《ひゃっかん》デブだと思い込んで、『もっと食事を減らさなければ』と訴える。これに対して『その通りだ、あなたは太り過ぎている。もっと痩《や》せるべきだ』と言って患者の幻想に付き合う医者はヤブ医者である。性別違和を訴えるティーンに安易に性転換を勧めている医者はこれと同じだ」と。

ですから、現に起きていることですが、転換しても全然苦しさが変わらず、「後悔している」

「自分はとんでもないヤブ医者に騙《だま》された」「ペテンにかけられた」と苦しむ人が出てきています。この人たちが声を上げ、これは多分、巨大な訴訟に発展するでしょう。ロボトミー手術に匹敵する医療過誤《かご》スキャンダルに発展する可能性が高い。

植草 この話が深刻ですね。「ホルモンブロッカー」のことも。

白井 こんなブームは、日本に輸入しては絶対にダメです。僕が非常に警戒しているところです。実はすでに、教育の現場でも動きが起きています。「性的少数者への理解を深めましょう」という一種の啓蒙《けいもう》キャンペーンです。これを請け負うのが大体、NPO法人などです。行政から委託されるわけです。

性的少数者の当事者と称する人たちが中心となり、啓蒙普及に努める団体がいくつかあります。そこが県、市、町、区から業務委託されて、委託された団体が学校で授業をやる。そういうことがポチポチとですが、すでに始まってきています。

植草 つまりそこに巨大な利権が存在する。そういう理解でよろしいですか。

白井 巨大な、と言えるかはわかりませんが、差別問題と人権をネタにしたビジネスです。かつて問題になったエセ同和《どうわ》と似ている。

植草 「意識高い系ビジネス」と言ってもいいでしょうね。ようするに巨大資本は金儲けのことしか考えていない。金が儲かれば、誰が死のうが苦しもうが知ったことでない。細部を詳細に分析していちゃもんをつける者は、国家権力による言論統制で封殺する。ネット界隈《かいわい》では国家権力よりもビッグテック（アメリカの大手情報技術産企業）が権力を握っているから、ビッグテックに民間言論統制をやらせればいい。ワクチンで見られた光景が広がることになるのは間違いない。

日本の「LGBTQ」政策にアメリカの影

植草　ＬＧＢＴＱに関係する話で、性的少数者の存在がＮＰＯ団体の利権になっている指摘がありました。たとえばそこに、特定の政治思想が宿っていたり、政治思想がＮＰＯに影響を与えたりしている側面はありませんか。

白井　その指摘はですね、僕はすごく不気味なものを感じているんです。日本でのウォーキズム（意識高い系）に関しては、いってみれば右は財界、その背後にアメリカ、左は日本共産党まで、主な政治勢力がみんなそれに乗っかっている。

象徴の一つであるレインボームーブメント（性の多様性を謳《うた》う虹《にじ》色の旗）が有名ですが、聞くところでは昨今イベントを仕掛けるとき、ＬＧＢＴＱを絡めると補助金が出やすいそうです。補助金の出所はどこなのか。地方自治体などの公共団体も入りますが、どうも電通経由で財界の金が流れている、との指摘があります。相当な金額が流れ込んでいるらしい。

ＬＧＢＴＱも、ワクチンビジネスと似ているという話がありましたが、ようするに儲かるネタだと。10代の子に、「君はうまくいってないの？　性別違和のせいだよ」と思春期ブロッカーを打たせて、「一生投与するよ」という話になる。製薬会社としてはその後何十年もいいお客様になってもらえる。

イギリスやアメリカでは、性転換を望む子ども、性転換あるいは性的マイノリティだと自覚する子どもの数が10％、20％というデータが出ている。途方もない上昇率で、誘導していると感じざるを得ない。誘導に成功すればするほど儲かる産業がある、それはたしかです。

植草　やくざのシャブ漬けのような話ですね。

白井　先にも言ったようにトランスジェンダーだと自認する人たちに、自閉症や発達障害の傾向がかなり見られる、と専門家たちが報告しています。だから、本来は自閉症、発達障害系の疾患《しっかん》があり、それに対する適切な医療を行わなきゃいけない。それなのに「それは、あなたの性の問題です」とそそのかし、最終的には性転換を促す。

こうしたことが、ヨーロッパやアメリカでかなり一大ビジネスになりかけている。アメリカでもナイキなどは、まっさきに性的マイノリティ向けの商品を作っています。

植草　「意識高い系の企業です」とアピールしている。

白井　そこに対する社会的な反発も生まれている。欲得ずくの誘導だと気づき始めた欧米の一部社会は、猛烈な反発を起こしてきている。

そして性的マイノリティの当事者の間でも、LGBTQ運動に対する態度はさまざまです。決して一枚岩《いちまいいわ》ではありません。昨今の運動に対して強烈に批判的な人々もいます。しかし、彼らの声はほとんど取り上げられない。

植草 TとQが加わることに対してね。そもそもは少数者の人権を守るということから出発した話なのに、それが財政資金の獲得や新規医薬品ビジネスのビジネスチャンスの側面が浮かび上がると、巨大資本の腕力で話の中心が一気に移動されてしまう。真面目《まじめ》な人権問題とよこしまな欲得主義が混在することになれば、本来の人権問題が吹き飛びかねません。とりわけ、政治業界の大半を邪欲主義者が占有している現状では不安が募ります。

白井 いずれにしろLGBTQに関しては、明らかに大きな資本の動きがあります。しかも国際政治の次元の思惑も絡んできています。ラーム・エマニュエル氏（アメリカ駐日大使）が、日本の政治過程に強い関心を持ち、理解増進法に積極的な発言をして介入してきた。それに日本の経団連は、かなりプレッシャーを受けたみたいです。だから経団連は「大事な人権問題だ」と言い出した。まるでアメリカから日本政府と経団連側に命令が発せられたかのごとくです。

おかしいじゃないですか。アメリカが、そんなに日本の人権状況を心配してくれているのであれば、ほかにも取り上げるべき問題がいろいろとある。人質司法の問題も、難民・移民のこともある。だからアメリカは、日本の人権状況に真剣な関心を持っているわけではない。

では、なぜそこまでするのか。そこにはアメリカが今、対外的にやっている戦争への意味づけがあります。権威主義的なロシア、イスラム世界、中国、こういった脅威に対してリベラルな価値観の守護神《しゅごしん》であり、守護者だと自称するアメリカがいる。アメリカとしては、利害をめぐる闘争だけだとヤクザの抗争と変わらないので、グローバル南北戦争を価値観戦争として意味づけたい。「アメリカの正義、リベラルな価値観」を、戦争を通じて世界へ売り込む。

トランスジェンダリズムへの揺れ戻し

植草 白井さんの話を聞いていると、「リベラル」という言葉が悪口にも聞こえますが。

白井 僕のなかではどんどん悪口になっています（笑）。今、日本の政治過程を見ながら、極めてまずいと感じることがあります。トランスジェンダリズムに関して賛成しているのが、ほぼすべての政党だということです。自民の主流派は、「ＬＧＢＴＱはよくわかんないが、儲かるならいいんじゃないの。アメリカも『やれやれ』ってうるさいし」くらいの頭でしょうが。

ＬＧＢＴＱは、巨大な経済利害も蠢《うごめ》くビジネス、資本主義の問題です。しかし、どの政党も、そこをまったく見ていない。唯一、明確に反対の立場を取るのが自民党内外の極右勢力です。宗教右派ともっとももつながりの強い極右的な人たち。だから、「ＬＧＢＴＱ理解増進法」をきっかけとして、百《ひゃく》田《た》尚《なお》樹《き》氏（作家）、有《あり》本《もと》香《かおり》氏（ジャーナリスト）らが「日本保守党」（２０２３年結党、百田尚樹代表）を立ち上げた。「自民党はおかしなジェンダーイデオロギーに侵されているから任せられない」という動機です。あらゆる政治勢力のなかで、これを問題視しているのは極右勢力しかない。その状況に愕然《がくぜん》としています。

本来であれば、左派の政党が「単なる差別人権の問題ではない」ときちんと捉え、相応の論陣と立場を構築しなければならない。それなのにまったくできていない。だから、この間トランスジェンダリズムの問題性を指摘してきた女性たちにとって、自分たちの声を取り上げてくれたのは極右勢力だけだ、ということになっている。また彼女たちはリベラルと左派に激しく失望しています。

植草　昔の左派はもう少し、そのへんは闘っていたような気がしますが。白井さんの「リベラル」批判に同調する部分が大です。ウクライナの問題も歴史的経緯、戦乱に至る詳細なプロセスの分析が必要不可欠なのに、何の知識も見識もなく「戦争反対」では問題の解決のしようもありません。

ワクチンだって弁護士会が「新種のワクチンで治験も不十分な特例承認だから慎重の上に慎重を重ねなければならない」と声明を出しているのに、ワクチン接種の大合唱を演じました。人権は大事だけれど、ＬＧＢＴＱのすべてが無条件の人権侵害問題であるのかどうかの精査もせずに、「人権侵害ハンターイ！」とシュプレヒコールするノリで対応などされようものなら、未来に禍根を残すばかりです。

白井　昔の振る舞いに対する反省からの反動もあるでしょうね。有名な話として、日本社会党の理論的支柱であったマルクス経済学者の向坂逸郎《さきさかいつろう》氏は、「オカマの東郷健《とうごうけん》氏（政治活動家、雑民党党首）」に対して、「社会主義社会になったらお前の病気は治る」と発言して、東郷氏を怒らせました。後に社民党になってから、東郷氏に対し党として謝罪しています。そのくらい、階級以外の問題について無自覚、無神経であった。そして１９９０年代以降、アイデンティティ・ポリティクスのせり上がりの影響をモロに受けています。

そうなると今度は、マルクス主義が希薄になってしまいました。現に今の共産党は、きちんとマルクス主義をやっていない。ウクライナ紛争への対応もそうです。「ウクライナ頑張れ」とだけ言うのは単細胞にすぎる。あれは帝国主義戦争なのですから、「ちゃんと帝国主義戦争批判をしろ」と言いたい。これじゃあ共産党も対米従属《たいべいじゅうぞく》の党になってしまう。

植草　たしかに日本の政党はおしなべて対米従属。

白井　唯一、正面から日米安保体制を否定している共産党が崩れたら終わりなので、踏ん張ってもらわなければなりません。共産党について今、いろいろと言われています。「もっと柔軟にならなきゃいけない」みたいな。僕から見るとはっきり言って、そんなことはほとんどどうでもいいのです。

日米安保にノーと言い続けられるかどうか。それが共産党の根幹《こんかん》であるはずです。どうやって党の代表を選出しようが、それは党内部の問題で党員が決めることですから、外野がとやかく言うことではない。どうもそこが見えていないアナリストが多い。まずは異様なる対米従属から脱出・脱却する。それをやらなければ話にならないわけで、そこにおいて共産党のまさに価値があると思うのです。

植草 日本の政治を変えるためには2つの柱がある。一つは対米自立、アメリカにすべてを支配される植民地の現状から脱却する。もう一つは、経済活動・財政活動の部分で利権主義に抗《あらが》う政治。

白井 どちらも命懸けですよね。とくに対米従属からの自立は、殺される可能性が十分ある。日本の保守政治が本当にダメなのは、命を賭《と》してそれを追求した人が誰もいなかったことです。

首相経験者では石橋湛山《いしばしたんざん》氏（政権は1956年12月〜57年2月）だけだったかもしれない。小沢一郎氏、鳩山由紀夫氏はそれを現代に引き継いだけれど、それこそ彼らがそれを実行し得《う》る立場に就いた瞬間、マスメディア関連からも、資本からも十字砲火を浴びた。これを受け継ぐ人間はいないのか。

植草　かなり絶望的な状況ですが、どうしますか。

白井　まずは、きちんとした現状認識を持つ政治勢力を作らなきゃいけないです。トランスジェンダリズムに関しては、ヨーロッパ、アメリカで揺れ戻しが来ています。確実に日本でもこれから揺れ戻しが来ます。いかに無茶苦茶な話であったかという認識がだんだん広まってくる。

ＬＧＢＴＱに関してもう一ついえば、ＱはＴより大変なものです。そもそもクエスチョニングなんて言い換えているのがおかしなことです。もともとクィアですから。クィア・スタディーズという研究分野が、もうかれこれ30年くらい前から存在します。一般人は誤魔化せても、人文社会科学の歴史を知っている人間は誤魔化せませんよ。

植草　訳せば奇妙な人々。

白井　言い換えれば「変態」です。僕はかなり頑固な自由主義者なので、他人に迷惑をかけないかぎりにおいて変態と言われるような性癖・性行動は極力禁じられるべきでない、と思います。そういう趣味の人は、同じ趣味の人同士で楽しめばいい。そしてそうした自由は、すでにだいたい現代の西洋社会では達成されています。

では、あらたに社会的に是認されるべきと声高《こわだか》に主張されるクィアとは何なのか。「今は禁じられているが、これを認めてもいいのでは」というのが、Ｑの主張する本質だということになる。

それは突き詰めれば、いくら性が自由になった社会でもやはりタブーであり続けているものにほかならないでしょう。つまり獣姦《じゅうかん》、屍姦《しかん》、それからペドフィリア（小児性愛）です。だからQにペドフィリアが含まれることは必然です。このことが表面化したとき、反差別の立場から「Qも認めなきゃ」と言っていたリベラルな人たちは驚愕していましたが、驚いてしまうのは論理性の不足のためです。

植草　アメリカ政治の闇として語られるペドフィリア。アメリカで広範に広がる里親・里子制度の裏側にも巨大な闇が潜むとされる。白井さんがおっしゃるように、LGBTQのLGBの部分とTQの部分を切り離す論議が必要だと痛感します。これをごちゃまぜにして一括《ひとくく》りに扱っているところに、大きな誤りと深い策謀《さくぼう》が潜んでいることを広く周知させる必要がある。

欧米ではタブー視の「ペドフィリア」

白井　トランスジェンダリズムとペドフィリアは、実は内在的に結びつく。性自認のずれで、「身体は男だが女なんだ」「身体は女だけど男なんだ」というドグマを、ローティーンに対して与えて転換を促すならば、それは「性を自己決定させる」ということになります。これは性的自己決定の若年齢化にほかなりません。性的自己決定が小さい年齢でできるのなら、「幼児も自己決定できますね。幼児と同意してセックスもできますね」という話になってしまう。

植草　たしかにそういう論理になります。

白井　このようなイデオロギーが蔓延《まんえん》し始めている。そこに病的に承認欲求の強い連中が乗っかる。ハリウッドスターがよく途上国から養子を迎えます。養子であれ実子であれ、彼らのあいだでトランスジェンダーの子どもたちが、統計的にあり得ないほど多く出現しています。まだ幼い子どもも多い。

植草　ハリウッドスターでアジア系、アフリカ系、中東系もいるんでしょうけれども、養子にするケースを数多く聞きます。

白井　トヨタの「プリウス」が発売されたとき、驚異的な環境性能が話題になって、ハリウッドスターたちはでかいリムジンを捨てて、プリウスに乗り換え、「これ、環境にいい車だよ」と得意そうに写真に撮られていたことを思い出します。プリウスと同じです、その子どもたちは。彼らの意識の高さを宣伝するための、いわば小道具でしかない。日本のリベラル左派は、そういうのを見て、目を覚ませよという話なんです。

植草　欧米の実情における人身売買、ペドフィリアに対する日本の一般的な認識は、ほとんどないと思います。ヒラリー・クリントンのピザゲート（2016年の米大統領選のさい、クリントン陣営関係者がピザ店の地下で人身売買《じんしんばいばい》、児童性的虐待に関与したとの虚偽の疑惑）などが話題になりましたが、このことはこの問題が、アメリカの深層にまで根を下ろしていることの表出だと読み取ることもできます。

白井　アメリカとしては、凄《すさ》まじく重大な政治問題だと思います。人身売買、ペドフィリア、小児性愛の問題は、日本よりもはるかに社会規範《きはん》がきつい。世界のどこの文明を見ても、小児性愛に対するタブー視は凄まじいです。

刑務所ではいろんな犯罪者が収監されていますが、「幼女を犯して、殺して、捕まった」と言ったら、刑務所のなかで殺されると言われます。そのくらい小児性愛者に関しては、囚人《しゅうじん》同士の間でも憎悪が激しい。「小児性愛者は殺していい」と、看守《かんしゅ》も見て見ぬふりをする暗黙の了解すらあるそうです。

植草　アメリカでは「ロストチルドレン」と呼ばれて、行方不明《ゆくえふめい》の子どもが年間数十万人といった話もあると聞きます。子どもがターゲットになっている現実がある。

白井　そうした情報は少しずつ出てきています。中世・近世の頃は、どちらかと言えば労働力としての人身売買が多かったようですが。

植草　聞くところでは、一番の大きい市場はアフリカらしいです。スペインがアフリカで黒人を捕らえてアメリカに連れてきて売る。アメリカから今度はブラジル方面、南米に連れて行かれたり、いろんな複雑な流れがある。アメリカの政界で相当、ペドフィリアの汚染が広がっている話も一部にはあります。その実態は、なかなか摑むのが難しい。

白井　怖い。本当に闇のなかの闇ですよね。

「反ワクチン」は陰謀論か？

植草　ＬＧＢＴＱの問題は、新型コロナワクチンに置き換えることもできませんか。そのままその話が通用する印象を私は持ちました。

白井　コロナとワクチンの関係ですか。そこは興味深い。

植草　コロナワクチンもそうですし、ほかのワクチンについても同じです。これは事実関係として十分把握できておらず、それを踏まえて聞いていただきたいのですが、ワクチン被害を訴えている人は多数います。それはある意味、取り返しのつかない事態にいたっている。

２０２０年にコロナパンデミックが発生して、21年から新型コロナワクチンの大量接種が始まりました。日本全体の死亡者数はコロナが拡大した２０２０年は、前年比で８０００人減りましたが、21年以降に激増。20年に年間１３７万人の死亡者が、23年に１５９万人になった。年間死亡数は22万人の激増です。

白井　それだけ多くの超過死亡があるということですね。

植草　想定した定常状態との乖離《かいり》を超過死亡と言いますが、超過死亡の激増は想像を絶するものである。2020年以降に激増した死亡数が、23年になっても高止まりしたままです。コロナが広がった2020年は死者が減ったけれども、ワクチン接種が全国的に行われたところから死亡数が激増したという事実を踏まえると、コロナワクチンが死亡数激増の要因になったと考えるのが順当です。しかも一部の専門家がワクチン接種の始まる前から、新種の遺伝子ワクチンの重大なリスクに警鐘を鳴らしていました。

しかし、この種の推測や警告は禁忌とされました。インターネット空間におけるビッグテック等による民間検閲、情報統制は凄《すさ》まじいもので、今なお続いています。YouTubeはバン（アカウント凍結）され、X（旧Twitter）に書くとセンシティブの警告が付せられる状況です。

白井 そうしたことをポストすると、「陰謀論だ」と炎上してしまう。僕はワクチンはもちろん、陰謀論も警戒すべきと考えています。ただしワクチンの正しい評価は、何十年、何百年経たないと定まらない。ワクチンはそういうものだと捉えるのが、冷静な見方ではないでしょうか。

何だか虚《むな》しい感じがしますよね。人類はかつて、スペイン風邪にどう対処したのか。ワクチンで克服したわけではない。自然に過ぎ去って、そこから100年経ったけれど、なぜ終息したのかいまだによくわかっていない。あれから100年経ってテクノロジーは大いに進化したけれど、人類の叡智《えいち》の結集であるワクチンで対抗できたのか。

植草 できていませんよ。ウイルスはどんどん変異し、ワクチンを使えば使うほど結局、新しい変異を促していくだけだった。これを虚しいと言わずして、なんと言うのか。

白井　結局はいくら対策しても、ワクチンを打っても、自然に過ぎ去るのを待つしかなかった。ワクチンについては今、いろんな学説が出ています。そのなかには、ワクチンをなまじ大量接種したから、ウイルスの変異を促す結果になってしまったのではないか、との学説もある。

ワクチンが無駄だったとして、その副作用で死んだ人がそれなりの確率で出たとすれば、「打たないほうがマシでしたね」とならざるを得ない。他方で、「ワクチンを打ったから、感染しても軽症で済んだ」という学説もある。真実は今のところわからない。

身近な人でコロナに感染した人に聞くと、若い世代だと40度ぐらい熱が出た人が多い。「ワクチンは打ったの?」と聞くと、「打っていたんですが」と言う。それはワクチンを打ったから、その程度で済んだのか、それとも軽症化するような効き目はなかったのか。これもまだ結論が出ていない話だと思う。

「ワクチン接種」というプロパガンダ

白井　植草さんはワクチンを打ちましたか?

植草　打っていません。コロナには感染はしました。

白井　どのくらいの症状でしたか。

植草　インフルエンザにもかかったことはありますが、インフルエンザよりは治るのに時間がかかりました。のどの痛みが完全に消えるのに2週間かかった。時間はかかりましたが、病状そのものでいえば、ちょっと重い感じのインフルエンザ程度です。エボラ出血熱（エボラウイルスを病原体とする感染症）みたいな、感染したらみんな死ぬものではなかった。感染が世界に広がって、ある程度時間が経った時点で、コロナウイルスの深刻度は実は測れていたわけです。

白井　そうですね。僕はコロナにかかっていないんです。それなりにかからないようには振る舞ってきましたが、神経質なまでに対策したわけでもないので運が良いのでしょう。家では子どもたちはかかりましたが、いずれも軽症で、普通の風邪と変わりなかった。

植草　日本は、それでもコロナをずっと2類相当にしていました。その結果、経済活動は完全に麻痺《まひ》し、2023年5月まで引きずった。コロナの実情を考えれば1年前には、5類相当に変えられたと思います。

白井　その期間のコロナ対応にまつわる費用、国家予算は莫大《ばくだい》です。

植草　はっきりしているのは、ウイルスの変異が進むたびに、少なくともワクチンの感染予防効果はかなり否定された。途中までは、重症化や死亡リスクを減らす効果があると盛んにプロパガンダされましたが、これもかなり疑わしいとの調査結果が出ている。

かたや先ほどお話ししたように、死亡者が非常に激増しているのは事実です。比較的年齢の低い人がワクチン接種後に急死したり、ガンになる人が増えたりした話も耳にします。それを科学的に立証することになると、ハードルが非常に高いんですが。

白井　ですよね、だから陰謀論として扱われてしまう。しかし、「ワクチンを大規模接種したのは善だった」という前提から論を進めるのは、これまた陰謀論と同じなのです。不動のフレームワークで世界を解釈しているのですから。

植草　立証は難しい。問題は、コロナワクチンを公費負担にして、何度も接種することを熱烈推奨したことです。

白井　全国民が相手ですから、とんでもない儲けになります。ファイザーにしろモデルナにしろ。

植草　子ども向けの3種混合など、いろんな強制接種が出てきている。治療薬の投与は患者が対象ですが、これに対してワクチンは適齢の全人口を対象にします。製薬会社のビジネスとしては、圧倒的にワクチンが有利です。このビジネスモデルは何に近いのか。私は、コンピューターのOSに近いと考えています。

白井　なるほど！　たしかに。

植草　汎用性《はんようせい》の高いソフトウェアビジネスにワクチンが近い。ワクチン推進の中心に位置したのが、マイクロソフトのビル・ゲイツ氏というのは納得のいくところです。

白井　ＯＳで大儲けしたわけだから、そのビジネスモデルを応用できる。
植草　ワクチンビジネスに政府公認を得られれば、これ以上においしい話はない。治療薬と比べてワクチンの想定接種対象は無限大に近い。メガビジネスそのものですね。しかも特定の国が対象ではなく、国連のＷＨＯの音頭《おんど》取りで全世界が対象になる。日本だけでもワクチン予算として４・７兆円が計上された。そのうち２・４兆円がワクチン代で、２・３兆円が接種費用。２・４兆円のワクチン費用は８・８億回分になります。いきなり国が８・８億回分の予算を計上したことが謎《なぞ》でしかない。
白井　全国民が７回打つことになります。まだまだ在庫がある。
植草　一部契約破棄できた部分はあるんですが、巨大な無駄が発生した。例の「アベノマスク」が随分と騒ぎになりましたが、あれはせいぜい２６０億円ぐらい。２０２４年４月になって廃棄するワクチンが２・４億回分になると政府が公表しました。その金額は６６００億円だと推定されています。驚愕《きょうがく》の無駄遣いとしか言いようがありません。
白井　そこは菅《すが》（義偉）さんがやり過ぎたのかな。
植草　ワクチン代金が１回あたり２７００円ぐらい、接種費用は２・３兆円ですから、打つ側は注射を打つたびに「チャリン、チャリン」と音がしたそうです。ですから病院も医者も「ワクチン、ワクチン」の大合唱。

白井　僕は4回、ワクチンを打ちました。打ちに行くと、看護師さんが2人ぐらいいるんです。そのうちの1人が注射器で打つ。もう1人は、ほとんど何もしない。そばでボーッとしている（苦笑）。それでも日当は、けっこう貰えたはずです。

植草　政府は金の力でワクチン接種を推進した。接種費用は1回あたり約2000円なので、1日50回以上接種すると、上乗せで1日10万円が支払われました。クリニックではワクチンを打つたびに、カネの音が響き渡ったわけです。ワクチンに反対した町医者のなかには、悔やんでいる人もいるそうです。

白井　「大儲けができたのに」と。

植草　そのへんはもう闇ですね。ワクチン推進の広告塔の役割を熱心に演じた研究員が、突然某国立大学の教授に就任したり。人の生きざまがよく見えましたね。白井さんはワクチンの副作用は？

白井　結構強く出ました。高熱が出て、1日の予定が全部飛ぶくらい寝込みました。「いやあ、これは強い薬だな」と思ったものです。

植草　コロナワクチンを接種するときは、署名をさせられませんでしたか。

白井　どうだったかな、よく覚えていないのです。

植草　署名させることで、厚労省は逃げ道を残しているんです。しかし、これは厳密な意味でのインフォームド・コンセントに該当しない。厚労省のウェブサイトのQ＆Aは、「その他」のなかの「努力義務とは何か」という問いのページで何度もクリックしないと「接種は自己判断」という記述が出てこない建てつけになっていた。この記述にたどり着いた人はほとんどいないと思います。ワクチン接種が自己判断による任意接種であることは、トップページに特大の文字で表記する必要があった。

インフォームド・コンセントというのは、医療者が患者に対して必要な医療を行うさいに、実施しようとする医療行為について十分な説明を行い、患者の同意を得ることで、患者は受け得る医療行為について必要な説明を受け、十分に理解した上で自らが受ける医療行為を決定する権利を持ちます。医療者は患者の自己決定権を保障するために、必要十分な情報を提供し、アドバイスを与えなければならないとされます。しかし、今回のワクチン接種でこうしたプロセスは取られていません。

白井　つまり、ワクチン接種が最終的に医療過誤であったとなっても、「自己責任ですよ」という建てつけになっているわけですね。そしてそのことを深く隠している。実に霞《かすみ》が関《せき》らしくて感動すら覚えます。

京都大学で医師をやっている友人にコロナワクチンの話をしたら、「僕は打ってない」と言う。そこで「ワクチンの安全性、本当のところはどうなの？」と聞いたんです。「あれはやばい感じがする。こんなに副反応が強いものは危ないに決まってるよ」と言うのです。こんなに強い薬は危ないというのは素人の持つ素朴な印象ですが、医学の専門家から見ても、その印象は間違っていないようです。

植草　２０２４年4月に、新型コロナワクチン接種後の健康被害について国民に広報せず、国が接種を推し進めたとして、ワクチンの接種後に亡くなった人の遺族や健康被害を訴える患者らが、国に対し慰謝料などを求める訴訟を提起しました（4月17日、遺族など13人が総額９１５２万円の損害賠償を求め東京地裁に集団提訴）。

厚労省のワクチンサイトＱ＆Ａに「これは本当ですか？」というカテゴリーが立てられ、そのなかに、「新型コロナワクチンの接種が原因で多くの方が亡くなっているというのは本当ですか」の質問が置かれました。その回答は「接種後の死亡事例は報告されていますが、新型コロナワクチンの接種が原因で多くの方が亡くなったということはありません」というものでした。

厚労省の副反応疑い報告で、すでに２１９３人の接種後急死が報告されています。また、政府の健康被害救済制度ではすでに５２３人が接種による死亡を認定され、死亡一時金などの支払いが行われています。Ｑ＆Ａサイトの「新型コロナワクチンの接種が原因で多くの方が亡くなったということはありません」の記述が、裁判でも問題になってくると思います。

旧来型の生ワクチンは、半世紀以上の開発と臨床《りんしょう》実験の歴史があります。知り合いが言っていました、「国産の生ワクチン、どうなっちゃったの」と。ちゃんと検証されてないワクチンを大量にいきなり打たされ、かたや開発していたはずの国産の生ワクチンは全然打たせてもらえない。

日本の製薬会社が1年かけて開発したはずなんです。それが消えちゃっても、誰も議論しない。厚生省の理屈だと、「ウイルスはどんどん変異するから、生ワクチンはもう役に立ちません」となるらしい。インフルエンザは、生ワクチンでやってますけど。

地方から忍びよる「参政党」の影

白井　今、反ワクチン派とか、有機農業とか有機野菜とか、イデオロギー的には右も左もないんですが、そうした主張が政治的に支持を集めつつあります。「参政党」（2020年結党、神谷宗幣《かみやそうへい》代表）はそうした雰囲気を支持基盤にしている。
植草　ワクチンとオーガニックで票を集めている。それを他の政党が言わない。みんな吸い取っている。でも本音はそこにはないと思いますが。
白井　コロナワクチンの問題は、言うと「陰謀論者だ」と炎上するので、そうなるがゆえに反ワクチン派はより確信を深めるようになります。
植草　私は「何人死者が増えた」とか事実だけ言ってきました。それでもYouTubeはバンされますから。すごい言論統制が利いている。私は注意して事実以外のこと言わない。これから先はこういう考えもあると、こういう見方もあると。こうだとは絶対言わない、それでもあのチェックがかかって。

白井　ワクチンに関しては、YouTubeのバンは凄《すご》いようですね。ワクチンにはもの凄い利権が後ろにあるわけで、情報統制と利権との関係が疑われるのは、まあ当然なのですけどね。

植草　それはそれは巨大な利権がそびえ立っています。さらに、WHOが推進している現在進行形のパンデミック条約が今の情報統制をもっと強化することになる恐れが強い。

白井　日本の問題だけというよりも、世界を巻き込んでいるわけですね。

植草　参政党が登場して、あれだけ組織的に動いて、お金を集めて票を取っている背景が何かを知りたい。これもあんまりうかつなことを言うと訴訟問題になる。

白井　お金とオーガナイザーの問題ですよね。間違いなくもうプロフェッショナルですね。

植草　旧統一教会とは関係ないんですか。

白井　聞いたことはないです。「初期費用は官房機密費じゃないか」と推理するジャーナリストもいました。

植草　お金の問題でいえば、政治にかかるお金は1円単位で明らかにすべきだと思う。官房機密費を含めて。生活費も。

白井　官房機密費は、たとえば30年後なり50年後には公開をする原則にするべきですよ。

植草　身代金もありますから。それは一定程度認められる部分ありますが、でも事後公開の制約がなければ。

白井　そうそう。それがあるのかないのかで使う側の意識は随分違ってくる。今だったら何に使おうがもう使い放題です。

「断末魔ビジネスモデル」

植草　コロナ関連では、2019年10月18日、ニューヨークのホテルザピエールで「イベント201」が開かれました。ご存じでしょうか。

白井　それは知らないです。どういうイベントでしょうか。

植草　コロナパンデミックが広がる約半年前、ニューヨークで開かれ、ジョンズ・ホプキンス健康安全保障センター、WEF（世界経済フォーラム）、WHO（世界保健機関）、CDC（アメリカ疾病《しっぺい》対策予防センター）などがすべて一緒になってやったイベントです。一番の資金の出し手がビル&メリンダ・ゲイツ財団で、事務局はジョンズ・ホプキンス大学です。

半年後に起きたパンデミックは、ほぼ予行演習されていて、「こんなことが起きています」と

CNNを真似したテレビ番組まで作られています。その予行演習と実際のパンデミックの何が違うかというと、予行演習のほうがもうちょっとウイルスの毒性が強い。

でも、コロナとほぼ同じことが事前に準備されていた。その最大の資金の出し手がビル&メリンダ・ゲイツ財団で、この財団がモデルナなどの最大の出資者。マイクロソフトのビジネスモデルとワクチンビジネスがくっついた。

奇《く》しくも「イベント201」と同じ日、中国の武漢《ぶかん》で、世界軍人体育大会（ミリタリーワールドゲームズオリンピック）が開かれています。ここに米軍の関係者がかなり入っていて、そこからウイルスが広がった可能性も指摘されています。

白井 すいぶんタイミングの良い話ですね。それはつまり、ビル・ゲイツ氏あたりが、ウイルスとワクチンを使った利益を生み出す新しいビジネスモデルを考え出して実行したのではないか、と。

植草 一般的には、コロナのためにワクチンが作られたように思われます。しかしむしろ逆だと推察します。ワクチンのために、コロナが作られた。そうしてワクチンビジネスが拡大した。

ワクチンビジネスの展開はコロナに限りません。テレビコマーシャルで今、帯状疱疹《たいじょうほうしん》のワクチンをずいぶん宣伝しています。治療薬はレンバチニブのような自由診療で超高価なものはありますが、製薬資本からすればワクチンのほうが旨味《うまみ》が大きい。ワクチンを広げる策略がグローバル・キャピタリズムのなかで行われている。
成長の限界に直面したグローバル・キャピタルがコロナで新しい利益を生み出す。通常のやり方ではもう、なかなか巨大な利益は得られない。こうした動きを私は「断末魔《だんまつま》」と呼んでいます。断末魔の叫びですよ。
拙著『資本主義の断末魔　悪政を打ち破る最強投資戦略』（ビジネス社、2023年）のなかで私は、利潤追求の対象が限られてきた断末魔が作り出すビジネスモデルを「断末魔ビジネスモデル［DBM］」と名づけました。そのキーワードをUPF（天宙平和連合、〈世界平和統一家庭連合［旧統一教会］関連NGO〉）になぞらえて、「WPF」としました。

白井　いいですね、WPF（大笑）。UPFには安倍さんが何やらメッセージを送っていましたが。

植草　大資本はどこに活路を見出《みいだ》しているのか。「W」はウォーズ、戦争です。戦争や武器ビジネスで利益を取る。「P」がパブリック、財政収奪《しゅうだつ》です。たとえば消費税で庶民から奪ったお金を大資本が補助金でかっさらう。それから民営化という名の営利化で、水道などの公的事業を奪ってしまう。「F」はフェイクで、「国際特殊詐欺ビジネスモデル」。ワクチンビジネスモデル、SDGsビジネスモデル、白井さんが話されたLGBTQの性ビジネスなどです。
パブリックとフェイクが、大きな利益獲得の源泉《げんせん》になっている。パブリックは庶民から税金をむしり取って大資本に減税と補助金で金を回す逆所得再分配と公的ビジネスの簒奪《さんだつ》です。ワクチンも政府推奨にして公費負担にすれば、巨大ビジネスが瞬時に打ち立てられる。

白井　たしかに新自由主義を突き詰めていくと、植草さんのおっしゃるビジネスモデルになりますね。というのは、そもそも新自由主義とは、「自由で公正な競争」の美名のもとに、企業が公共財を私有化してそこから容赦なく利益を上げることを実際には意味しました。政治家も行政機構も全部買収して、道具化してしまうのです。そしてもちろん、儲けるだけ儲けて税金は払わない。これが新自由主義の基本で、これを純粋に実現するとWPFになる。

植草　とくに日本の財政は、国民の血税を結局利権官庁と利権政治屋が間に入って補助金で流すもの。先ほども言いました年間39兆円の補正予算も、ほとんどを補助金などでばらまいている。

ＳＤＧｓは国連のアジェンダに登載できたから、企業は各国の政府予算から法外な金を引き抜けます。大手新聞のイベントタイアップ紙面にも巨大な公費が入っているはずです。断末魔の新聞ビジネスもワクチンやＳＤＧｓなどのフェイクビジネスに絡む財政収奪が草刈り場になっているのではないでしょうか。先ほどＮＰＯの話が出ましたが、今回の能登半島地震で多くの義援金が寄せられました。国民がみんな寄付しています。そのお金は、どうなっているのか。

白井　さまざまな団体がありますが、中抜きがえげつないという話も聞きます。

植草　何か自然災害が起きると、ＮＰＯなどが被災地に入るでしょう。ＮＰＯが入って、そこに赤十字経由でお金が流れている話も耳にします。ＮＰＯの人たちは、正義の味方のような顔をして現地に入る（苦笑）。善良で純粋なボランティアの人もたくさんいるとは思いますが、そうではない、ある種の詐欺みたいな疑わしいボランティア活動もあるように思われます。NPO利権のようなものも、おそらくある。

コロナワクチンも同じ側面を感じます。人口100人当たりのワクチン接種回数が、日本は300回で世界第1位です。今、日本が世界ランキング1位になるものがほとんどなくなったなかでは快挙かもしれませんが、日本のワクチン利権への群がり方は尋常でなかった。ワクチンで4・7兆円、病床確保で6兆円など、あり得ない国費が投下された。補正予算のでたらめこそ予算委員会が解明するべき最重要検証事項です。

白井　緊急事態ということで、2020年はタガが外れた。そこから毎年のように、予算額が過去最大を更新し続けるような状況です。感覚がおかしくなったのだと思います。これだけ出してしまったのだから、もういくら出したっていいではないか、というような感覚です。

植草　一番のポイントは、財務省が「資金繰り対策」名目で19兆円も取ったこと。自分のところで取れるのなら際限なく取り尽くす。とても財政危機を叫んでいる役所とは思えません。問題は財務省の基本姿勢。一般庶民に回る予算は1円でも切り刻む。社会保障予算が最大の攻撃対象。その一方で身内予算、利権予算、裁量支出は青天井《あおてんじょう》です。

白井　はい、一般庶民は真っ先に切る。こうして財政が外形的には膨張する一方で、税収がこちらも過去最高を更新し続けている。狂っていますよ。２０２０年、コロナ禍の下で、税収が過去最高をマークしたのですから。世界でも類を見ないと思います。

植草　野村総研時代の上司Ａさんは、旧大蔵省至上主義者でした。「旧大蔵省はなぜ、財政再建にこだわるのか」とこんこんと言われた。財政赤字が拡大したとき、旧大蔵省でシーリングが始まった。シーリングは一律削減なので、旧大蔵省の権力が一気に落ちた。旧大蔵省の権力の源泉は裁量権、すなわち匙《さじ》加《か》減《げん》にある。

白井　ジャーナリストの鮫島浩《さめじまひろし》氏いわく、「財務省は経済官庁ではなく政治官庁だ」と。「なぜなら、カネの収集と分配を差配することによって他の官庁を支配することができ、そのことのみを追求しているからだ」と。正しいと思います。僕にはほとんど犯罪者集団にしか見えない。

植草　「あの過ちを二度と繰り返してはならないのが財政再建だ」とＡさんに言われた。実際に旧大蔵省のなかでも働いて、肌身を通じた旧大蔵省の基本的な考え方を体得しましたが、ようするに国民のことは１００万分の１も考えていないということ。私が在籍したときの最重要任務は、消費税の前身である売上税導入のために言論統制＝世論操作をすることでした。

　旧大蔵省は、天下りを増やし、自分たちの利権を増やし、いかに増税するかしか頭になかった。国民の利益はまったく考えていない。予算編成では、社会保障支出プログラムを切って、裁量支出を拡大する。生活保護を切り、年金を下げ、介護保険料を上げることにはすこぶる熱心です。

その一方で、利権を生む支出拡大にはもの凄く鷹揚《おうよう》です。

白井　それをやればやるほど、自分たちの権力は高まる。しかも国税庁を傘下《さんか》に置いているから、いつでも誰でも敵対者を脱税容疑で社会的に抹殺《まっさつ》することができる。真っ先にやるべき行政改革は、国税庁の財務省からの切り離しですね。

植草　その通りです。企業利権、金融機関利権、政治家利権だけを考えていると言って過言でありません。

大資本が政府を乗っ取る「逆所得再分配」

植草　いわゆる意識高い系の話にもかかわりますが、今の日本財政でもずっと財政危機と言われています。「もう日本の財政は破綻する」と言われてきた。ところが、真逆の現象が広がった。4、5年の補正予算での財政拡張は、異常としか言いようがありません。2020年度からです。

白井　コロナのときからですね。

植草　コロナの2020年度には、1次、2次、3次の補正予算が組まれ、73兆円の追加支出が計上された。なかったはずのお金が湯水のように湧《わ》き出して、放蕩三昧《ほうとうざんまい》が始まった。財務省はなぜ、こんな話に乗ったのか。2020年度の73兆円補正予算のなかに、「資金繰り対策費」というのがある。これが実は19兆円。

白井　73兆！「資金繰り対策費」という意味がわからないのですが。

植草　これは、政府系金融機関への出資金でした。日本政策投資銀行、日本政策金融公庫等に対して19兆円も資金贈与した。

白井　何のためにですか。

植草　名目は資金繰り融資を行うためです。もちろん、資金繰りが大変になった人の資金を支える予算ならわかる。ところがそれを名目に、資金を融資する金融機関側に19兆円の資金贈与をしている。コロナで企業経営が打撃を受けて金融機関融資が激増しました。

その結果、日本のマネーストックがバブル期以来の激しい伸びを示したと話しました。拡大した融資は「ゼロゼロ融資」と呼ばれました。ゼロゼロとは金利ゼロ担保ゼロということです。この融資は危うい融資ですから、焦げ付く恐れもある。これに備える予算ならわかりますが、天下り金融機関に資金贈与する理由はない。

融資が焦げ付いたときに信用保証協会が代位弁済《だいいべんさい》するなら、そこに予算を付ければ良いだけのことです。しかし、実行されたのは天下り先への資金贈与でした。これ以外にも、デジタルトランスフォーメーション（通称「DX」。システムを刷新し、デジタルデータを活用して新たなビジネス価値を生む）や防災減災国土強靭化《こくどきょうじんか》に6兆円、旅行支援に3兆円、予備費に10兆円などが計上された。

コロナ関係ではコロナの病床確保に6兆円。しかし、コロナで入院させてもらえなかった話が後を絶たなかった。この予算がもたらしたのは基幹病院の収支激変。赤字続きの病院収支が巨大黒字に転換。尾身《おみ》茂《しげる》氏（医師・医学者、新型インフルエンザ等対策有識者会議会長兼新型コロナウイルス感染症対策分科会長）の地域医療機能推進機構（ＪＣＨＯ）は余った巨大黒字を資金運用に回したと伝えられました。２０２０年度からの財政運営激変を見過ごせません。

白井　財政規律の観念が消えたみたいですね。ＪＣＨＯの話は有名で、本来あの病院群は感染症の大流行時に、その対処に当たらなければならない機関であると法律に定められていたわけです。ところが実際には、カネだけもらって手をこまねいて医療崩壊と言われる事態になった。

植草　大資本が政府を乗っ取ったということでしょう。大資本が利潤追求に財政を本格的に組み入れ始めた。財政政策の機能の一つは所得再分配なのに、今実行されているのは「逆所得再分配」。お金のない人から消費税を搾り取って、お金持ちには金持ち優遇税制で戻し、集まったお金をごっそり大資本が懐に入れる。「ＧＯＴＯトラベル」も有名旅館と富裕層への利益供与の側面が強く、不正の温床となったので実際は「ＧＯＴＯトラブル」でした（苦笑）。

唯一透明だったのは一律給付金。１人10万円で１・３億人だから13兆円。これ以外は利権の塊でした。

白井　「安倍晋三」という政治家がいた時代、森友《もりとも》学園問題（２０１６年）と加計《かけ》学園問題（２０１

7年）が立て続けに起きた。もうそういった腐敗的癒着が、総理があんなことになってしまったこともあり、「別にいいじゃん、みんなやってるし」みたいな雰囲気でまかり通るようになりました。だから、こうした国民と政治権力との距離を利用して、利益供与してもらうことをビジネスの柱にすることを、企業側も常態化させてしまった。

巨大な利権は、昔からあったんです。ただ全体が伸びていないのが問題なんです。昔からずるい利権はあったけれど、みんなの暮らし向きが良かったから、「ま、しょうがないか」という感じだった。しかし、全体のパイが拡大するどころか縮小するなかで、パイの拡大に何の貢献もしない組織が少なくなったパイを権力を使って食い漁《あさ》る。それがビジネスだと勘違いされている。

芸能界でいえば、低質のエンタメを供給してきた吉本興業やジャニーズ事務所が、まさにそれをやってきた。これらが凋落《ちょうらく》し始めてきていることは、実はかなりの日本人の無意識に何らかの働きかけの作用を与えていると思います。「清和会《せいわかい》」（清和政策研究会、自民党安倍派）も崩れたし、永久に続くのではないかと思われていたいろいろな業界の帝国が次々と今、陥落してきている。

これらのことが、国民の覚醒《かくせい》につながらなければならない。どれほど強固に見えた支配体制もいつかは崩れること、崩れたところでこの世の終わりになんかならない、ということ。こういう認識の転換が起こらないと政治も変わらないと思うのです。

「気候変動対策」は果たして正義か

植草　ＬＧＢＴＱの話ともう一つ、とくに若者たちが引きずられているのは、気候変動だと思うんです。気候変動の話も実は、大資本に誘導されている。資本の金儲けの口実として、気候変動が利用されている。どれほど気候変動対策の実態に即しているのか。

白井　温室効果ガスの濃度が高まって、地球温暖化が加速しているのは事実でしょう。温室効果ガスと平均気温が上がっていることの因果関係は、否みがたい説だという気はします。

植草　歴史的な検証でいうと、地球の海面温度とCO_2の濃度は連動します。ずいぶんと昔から、そこは議論されてきたわけです。

ただし、その因果関係は必ずしも明確ではない。CO_2の濃度が高くなるので気温が上がるという見方もできます。逆に気温が上がるからCO_2の濃度が上がるという因果関係もあります。温度が上がるのはCO_2の濃度が高くなること以外にも原因があるとの見方も存在します。もう一つ言えることは、地球の温度そのものが歴史的に見て、ものすごく変動していること。

白井　そうですね。太陽の活動の長期傾向のなかで見れば、そうなります。地球の気温の変動の一番の要因はやっぱり太陽活動の強弱（太陽活動周期）ですね。

植草　温度が上がってきた事実はありますが、その要因を確定するには、あと少なくとも100年ぐらい経たないと難しい。しかし、温度が上がってきた事実があるから、これを利用しようとする活動が取られたと見ることができるように思います。利用する側からすれば、ある意味真実はどうでもいい。金儲けのストーリーを構築することに力を注いだのではないでしょうか。

白井　なるほど、大企業、大資本が利用すると。今確認したように気候変動の理由は、本来単純な話ではないわけですね。また温暖化と寒冷化とどっちが怖いかと言えば、圧倒的に寒冷化のはずです。寒いと人はすぐに死んでしまいます。食糧生産だって、寒いよりも暖かいほうが有利です。ですから、もちろん温暖化で被害を受ける人がいるのは間違いないが、その得失《とくしつ》をトータルに評価するのは簡単ではないはずですね。

植草　国連のアジェンダで気候変動パネルがつくられ、金融ビジネスまで構築された。国連アジェンダのＳＤＧｓの御旗《みはた》を掲げれば巨大予算を計上できる。ＳＤＧｓは打ち出の小づち。電通を経由するＳＤＧｓ財政資金が、大きなビジネスを生み出していると思います。

　トヨタへの1200億円補助金も、大義名分はＳＤＧｓ。エコカー1台に政府が10万円から90万円もお金を出すのも、自動車産業への補助金そのものです。金儲けのためにＳＤＧｓという打ち出の小づちを創作したというストーリーが、現実味を有しているように思うのです。

白井　同感です。先ほどお金の教育の話題が出ましたが、気候変動の教育もかなり小中高で進んでいるんじゃないでしょうか。

植草　テレビ各局、新聞各紙もＳＤＧｓの特集を組んでいます。これに意見したり、反論するのは人間じゃない（笑）。そもそもＳＤＧｓのバッジは、どんな素材でできているんですか。金属でできているような気がしますが。

白井　環境に負荷を与えている（笑）。

植草　ＬＧＢＴＱの議論は、ＴとＱをめぐる問題点も含め、多くの人に理解されると思うし、届く人には届くはず。「たしかにおかしい」と。気候変動については、どうでしょう。意識高い系の子どもや若い世代ほど飛びついて、もはやトレンドですよね。ファッション化しちゃっている。「気候変動対策を真剣にやる活動家はモテる」みたいな。

白井　モテるんですか（苦笑）。

植草　いや、聞いた話だから、わからない（苦笑）。でも、わからなくもない。

宇宙開発を善としたコマーシャルもあるし、なんでも地球環境の話にすり替えてしまう。トイレットペーパーを節約するようなレベルの話ではダメ。このへんの思惑を考えていくと、原発推進と地球温暖化も表裏一体になっている気がします。

白井　たしかに。気候変動対策を声高に掲げる若者や学生の後ろには、なんらかの大人の影がちらつくことも少なくない。ここでもまた陰謀と陰謀論を切り分けることが大事ですね。陰謀論はダメだけれど、陰謀は間違いなくこの世の中に存在するので。

植草　岸田内閣は原発全面推進と合わせてSDGsを宣伝している。矛盾しているじゃないですか。日本の原発はSDGs的には危ないのに（苦笑）。

白井　経産省は気候変動にのっかって、原発を再推進しようとしている。その意図は明らかだと思います。彼らにとってはウクライナ紛争による化石燃料の高騰《こうとう》だって、「天の贈物《たまもの》」にほかなりません。原発をやる理由づけにできるから。国民の生活や国土の保全など、彼らにとっては限りなくどうでもいい。

植草　本当の目的を言わないで、「地球環境を守りましょう」みたいにうわべだけ正しいようなことを言うからめんどくさい。SDGs推進企業の多くが、原発推進企業であることも見落とせません。そこに金が関わっている。活動している人たちにもね。こういう人たちを「活動家」と呼んでいいのか。

白井　総論として正しいものも、霞が関の手にかかると彼らの責任逃れと利権拡大のビジネスへと転化されてしまう。そういう途轍《とてつ》もなくロクでもないメカニズムがあります。だから活動する際には、そのメカニズムに対して、おさおさ警戒を怠ってはいけませんね。私たちの言論活動も同じですが。

悲観と諦めは何も生まない

白井　いろいろとお話をしてきましたが、そろそろ対談の振り返りをしましょうか。まずは植草さんからひと言、お願いします。

植草　私に対して「反日」という言葉が使われることが多いのですが、対談を通じて痛感することは、白井さんも私も熱烈な愛国者であるということ。日本を愛する気持ちがひしひしと伝わってきます。日本の過去を礼賛することが愛国だと誤解する者が多いけど、真逆です。

本当に日本を愛するなら、日本の過去の過《あやま》ちを野放しにすることをしない。過去の過ちを直視せず、横のものを縦と言い張るのは愛国とは真逆の作法です。愛国者なら、間違いは間違いとして認め、それを正すことを優先する。愛国者であるだけに、日本の凋落と堕落と衰退に対して悲痛な思いが募ります。明治維新から第2次世界大戦での日本敗戦までの期間と、日本敗戦から現在までの期間が等しくなった。その敗戦から現在に至る期間の日本を直視すると、残念なことばかりです。

しかし、悲観と諦《あきら》めは何も生みません。絶望こそ、日本を貶《おとし》める勢力の思うつぼでしょう。未来への希望を持ち続けなければならない。まずは、現実を見つめることが必要です。多くの人々が現実の詳細、表層《ひょうそう》に隠れて見えない部分を知らない。だから、まずは事実を知ること、そして、その事実を多くの人々と共有することが必要です。

さまざまなテーマについて今回、対談をさせていただきました。このことによって、「知られざる真実」がかなり浮き彫りになったのではないでしょうか。そして、いつの日か、必ず希望と理想を現実のものにすることができる日が来るはずです。

そのために必要なことは、希望の灯《ともしび》をともし続けること。そのための大いなる力をいただいたことに深く感謝しています。

白井　ありがとうございます。今回の対談では、多くの問題に触れることができました。政治の腐敗《ふはい》、司法の腐敗、経済の不調、民主主義の空洞化など、すべての問題が連関《れんかん》していることが示せたと思います。かつ、それらの問題を串刺《くしざ》しにして貫くようにして、不健全な対米従属の問題があることが示されたと思います。この問題を直視しない言論や処方箋は偽物にすぎないことが理解できるでしょう。

そして今、岸田政権、さらには自民党への不信感が非常に高まってきて、このままいけば2009年の政権交代以来の非自民党政権が出現する気配が高まってきています。ではそのとき、対米従属体制の総本山《そうほんざん》たる自民党が下野《げや》したとして、たとえば立憲民主党を中心とする政権ができたならば、その新政権は問題の本丸に切り込むことができるでしょうか。僕は正直なところ、相当悲観的です。対米従属体制しか選択肢がないという点では、自民党も立憲民主党の現在の主流派も全然違いがないからです。

この状況を変えられるのは国民の力だけです。「日米安保体制は日本を守ってくれるものだ」などという迷妄《めいもう》から大半の国民が脱することができれば、政治家や政党も自《おの》ずから変わらざるを得なくなります。その日が来ることに本書の議論が貢献できることを願っています。

あとがき

植草一秀氏との対談を終えて私が感ずるのは、絶望と希望の両方である。

これまで私は、著作の読者や講演を聞いた人から、「状況は理解したが、どうすればよいのか処方箋《しょほうせん》を出してほしい」とか「希望のある話を聞きたい」といった感想をしばしば聞いた。そうした感想を聞く度《たび》に感じてきたのは、「本当に私の議論を理解してくれたのだろうか」ということだった。現代日本の政治経済、社会が落ち込んだ状況を深く洞察《どうさつ》すればするほど、希望などそう簡単に語れないことは明らかだ。

今は「希望」を安易《あんい》に口にするよりも、深く絶望するべきなのだ。状況の深刻さを知れば知るほど、まずは絶望せざるを得ない。性急《せいきゅう》に「希望」を口にしてしまうのは、状況に対する認識の不足ゆえではないか。

そして、偽《いつわ》りの希望は害悪である。「自民党はもうダメだ、○○ならばもっとよくやってくれるのではないか?」。この20年余りの間、「○○」にはさまざまな個人や組織の名が入れられてきた。小泉純一郎、民主党、維新の会……。そのものズバリ「希望」を名乗った党もあった。これら数多くの偽りの希望が瞬《またた》く間に幻滅をもたらし、真《しん》に行われるべき変革をどれほど遠ざけてきたことか。無駄にされたエネルギーと時間を思いみると、気が遠くなる思いさえしてくる。

ゆえに、私たちは一切手心を加えることなく、状況の厳しさをできる限り網羅《もうら》的に指摘した。真の希望は、真正《しんせい》の絶望を乗り越えたところにしか存在し得ない。そして植草氏と対話をしつつ強く感じたのは、このように闘う人物が存在していることそのものが「希望」である、ということだった。

小泉純一郎政権の時代、私は一介の大学院生であったが、小泉改革を正面から批判する植草氏の姿を毎日のようにテレビ画面で目にしていた。今にして思えば、当時はまだ言論の自由が保たれていたのだなという感慨を催《もよお》すが、それ以上に重要なのはまさにそのとき決定的な闘いが進行中だったということではないだろうか。比喩《ひゆ》的に言えば、「竹中平蔵の日本」になるのか、それとも「植草一秀の日本」になるのか、それが決《けっ》せられた期間であったのだろう。この闘争でどちらが勝ったのかは、言うまでもない。後に第2次安倍超長期政権下で露骨《ろこつ》になる批判的意見のメディアからの締め出し戦略は、この時代にすでに始まっていたという植草氏の指摘には重いものがあった。

かくしていったんは一敗地《いっぱいち》にまみれた植草氏は、今もなお闘い続けている。そこにこそ、希望がある。本書で指摘したように、日本の外交、内政、経済等、ほとんどあらゆる領域で、この30

年の間、主流派は延々と失政を続けてきた。まさに「失われた30年」である。これだけ失敗を続ければ、社会全般とともにもろもろの機構も荒廃《こうはい》するのは当然だ。これをいかにして立て直すのか——これが日本国民に今突きつけられている課題である。この課題を直視し、決して偽りの希望に取りすがらず、闘い続ける肚《はら》の座った人間、今、最も必要とされているのはそうした人々が増えることだ。

このあとがきを書いている現在、政権交代の現実味が2012年の民主党から自民党への政権交代以来絶えてなかったほど高まりつつある。各地での国政選挙（補欠選）や首長選では、自民党の公認候補、あるいは支援を受けた候補が負け続けている。裏金問題をきっかけとして、この度ばかりは国民の自民党への忌避《きひ》感、嫌悪感は真正のものとなってきたように見受けられる。

政局は今、水面下で激動しており、いつ総選挙が行われるのか、総選挙のときに自民党総裁を誰が務めているのか、現時点では見通せない。

だが、この間の混迷状況を通過することで、第2次安倍政権以来の権力構造——これを僕は「2012年体制」と呼んできた——が崩れつつあることは間違いない。問題は、体制の転換がその程度で終息するのか否《いな》か、というところにある。本書で指摘したように、安倍晋三氏が構築した権力構造を取りあえず片づければ事が足りるわけではまったくない。現在の国会で議席を占めている政党政治家の少なくとも過半数は入れ替える必要があるし、霞が関も同様である。単なる政権交代で事が足りるわけがない。

つまり、変革が真の次元に達するためには、戦後の体制そのものが審判を受けなければならない。否《いや》むしろ、解釈改憲によって先制攻撃能力を持つことまで合憲化してしまった現在の政府は、すでに戦後の体制をある意味で乗り越えつつある。「戦後」がいつの間にか「新しい戦前」になりつつあると指摘したのはタモリ氏（2022年12月放送のテレビ朝日『徹子《てつこ》の部屋』における発言）だが、自民党政権を中核とする対米従属体制が招き寄せようとしている「ポスト戦後」はそのようなものだ。

この進路を転轍《てんてつ》させ、まともな国として再起するために、絶対的に必要なのは国民の意志と覚悟にほかならない。徹底的な絶望を通してのみ獲得できる真の希望とは、そのような意志と覚悟である。本書の読者にそれが形成される一助となることを願っている。

2024年6月

京都・衣笠にて　　白井　聡

＜著者略歴＞

植草一秀（うえくさ・かずひで）
1960年東京都生まれ。東京大学経済学部卒。大蔵事務官、京都大学助教授、米スタンフォード大学フーバー研究所客員フェロー、早稲田大学大学院教授などを経て、現在、スリーネーションズリサーチ株式会社代表取締役、ガーベラの風（オールジャパン平和と共生）運営委員。人気政治ブログ&メルマガ「植草一秀の『知られざる真実』」を発行。『現代日本経済政策論』（岩波書店、石橋湛山賞受賞）、『アベノリスク』（講談社）、『国家はいつも嘘をつく』（祥伝社）、『25%の人が政治を私物化する国』（詩想社）、『資本主義の断末魔』『千載一遇の金融大波乱』『日本経済の黒い霧』『出る杭の世直し白書』（ビジネス社）など著書多数。

白井聡（しらい・さとし）
1977年東京都生まれ。一橋大学大学院社会学研究科博士後期課程単位修得退学。博士（社会学）。専攻は政治学・思想史。京都精華大学教員。『永続敗戦論――戦後日本の核心』（太田出版、後に講談社＋α文庫）により、石橋湛山賞、角川財団学芸賞、いける本大賞を受賞。その他の著書に、『未完のレーニン』（講談社学術文庫）、『国体論――菊と星条旗』（集英社新書）、『武器としての「資本論」』（東洋経済新報社）、『主権者のいない国』（講談社）、『長期腐敗体制』（角川新書）、『失われた30年を取り戻す～救国のニッポン改造計画』（雨宮処凛氏との共著、ビジネス社）など多数。

経済、政治、外交、メディアの大嘘にダマされるな！
沈む日本 4つの大罪

2024年7月11日　　第1刷発行

著　者　植草 一秀　白井 聡
発行者　唐津 隆
発行所　株式会社ビジネス社
〒162-0805　東京都新宿区矢来町114番地 神楽坂高橋ビル5F
電話　03(5227)1602　FAX　03(5227)1603
https://www.business-sha.co.jp

〈ブックデザイン〉中村聡
〈本文組版〉茂呂田剛（エムアンドケイ）
〈印刷・製本〉中央精版印刷株式会社
〈営業担当〉山口健志
〈編集担当〉前田和男（同文社）

ISBN978-4-8284-2630-3

ビジネス社の本

資本主義の断末魔
悪政を打ち破る最強投資戦略

植草一秀……著

定価1980円（税込）
ISBN978-4-8284-2585-6

2024年、ついに日経平均史上最高値を更新！

【注目すべき株式銘柄21大公開！】
前著で2023年の日経株価急騰を的中させた著者が2024年に35年ぶりの史上最高値をうかがうと想定する！

本書の内容

第1章　2023年千載一遇の総括
第2章　米国一極支配の終焉
第3章　けもの道に迷い込む日銀
第4章　衰退日本と混迷世界
第5章　生き残るための金融投資戦略